Biblioteca general, 3
Estudios sobre el Amadís de Gaula

Paene insularum, Sirmio, insularumque
ocelle

CATULLI xxi 1-2

MARTÍN DE RIQUER

ESTUDIOS SOBRE EL AMADÍS DE GAULA

S I R M I O

Primera edición: noviembre de 1987

Publicado por Sirmio
Jaume Vallcorba, editor
F. Valls i Taberner, 8, bajos – 08006, Barcelona
(93) 212 87 66 – 212 38 08

ISBN: 84-7769-005-7
Depósito legal: B. 44.355-1987

Compuesto por Quaderns Crema
Impreso por Diagràfic, S.A.
Encuadernado por Flama, S.A.

Los estudios publicados en el presente libro
proceden de la *Miscellanea Roncaglia*, Roma, 1987,
y del «Boletín de la Real Academia Española», LX, 1980.

CONTENIDO

I
«AGORA LO VEREDES, DIXO AGRAJES»

En el diccionario usual de la Real Academia Española se registra la frase proverbial siguiente:

Agrajes. (Personaje del *Amadís de Gaula*.) n. p. m. *ahora*, o *allá, lo veredes, dijo Agrajes*. fr. proverb. empleada generalmente en son de amenaza para poner en duda o negar que aquello de que se trata suceda como otra u otras personas suponen o aseguran.[1]

Y como esta definición se repite casi literalmente en la edición de 1983 del *Diccionario manual e ilustrado de la lengua española*,[2] publicado también por la real corporación, ello supone que tal frase proverbial se considera de empleo normal y vigente en la lengua. Algunas veces la he oído, por lo común en boca de asiduos lectores del *Quijote* y siempre usada con intención o matiz irónicos. Es pues, una frase que conserva alguna vitalidad.

Ahora bien, aunque es verdad que Agrajes es un personaje importante del *Amadís de Gaula*, es bien cierto también que nunca, en ningún texto conservado

[1] Real Academia Española, *Diccionario de la lengua española*, I, Madrid, 1984, pág. 39.
[2] Real Academia Española, *Diccionario manual e ilustrado de la lengua española*, I, Madrid, 1983, pág. 55.

de esta novela, a Agrajes se le atribuye la frase: «Agora lo veredes».

El «Amadís de Gaula» antes de Montalvo

Del *Amadís de Gaula*, el gran éxito literario y editorial del siglo XVI, se conocen en la actualidad dos versiones:

A. Unos fragmentos en prosa castellana fechables hacia el año 1420,[3] y que corresponden al libro III, capítulos 68 y 72, y a breves y muy deterioradas líneas de los capítulos 65 y 70, de la refundición de Montalvo.

B. La extensa refundición en prosa y en cuatro libros debida a Garci Rodríguez de Montalvo, cuyo más antiguo texto hoy conocido es la edición impresa en Zaragoza en 1508.[4] Montalvo, que consta como muerto en 1505, parece que trabajaba en el *Amadís de Gaula* hacia 1492.

Que el *Amadís de Gaula* existía como novela ya en el siglo XIV se deduce de una serie de textos y mencio-

[3] Dados a conocer, publicados y estudiados en A. Rodríguez-Moñino, A. Millares Carlo y R. Lapesa, *El primer manuscrito del Amadís de Gaula*, «Boletín de la Real Academia Española», XXXVI, 1956, págs. 199-225. Cómoda edición de los fragmentos de más consistencia en la *Crestomatía del español medieval* por R. Menéndez Pidal, acabada y revisada por R. Lapesa y Mª Soledad de Andrés, II, Madrid, 1966, págs. 457-459.

[4] Edición moderna de E.B. Place, *Amadís de Gaula*, cuatro tomos de paginación seguida, Madrid, 1959-1969. Véase, en el estudio siguiente, pág. 57, nota 3.

nes que han sido relacionados muchas veces[5] y que creo que ahora es útil volver a examinar y completar con nuevas referencias.

Juan Bautista Avalle-Arce, en un importante estudio aparecido en 1982, dio una noticia que me atrevo a calificar de sensacional, pues supuso que en el *Libro de confesiones* de Martín Pérez, fechado en 1318, se hacía una referencia al *Amadís* (escrito «Amadin»), y dedujo que «para 1318 ... el *Amadís* era tan popular como para merecer la condena de los moralistas, como volverá a ocurrir en el siglo XVI».[6]

He de admitir que esta noticia me llenó de satisfacción y que me pareció muy natural y aceptable que una primitiva versión del *Amadís* circulara en los primeros decenios del siglo XIV, aun antes de que se iniciara la producción de don Juan Manuel. Sabemos por experiencia que numerosas obras medievales son más antiguas de lo que comúnmente se cree; y esta primera mención del *Amadís* de 1318 no aparecería muy distanciada de lo que suponen otras, que luego serán aquí examinadas.

Pero me veo obligado a concluir que mi buen amigo Avalle-Arce, tan competente historiador literario y con quien tantos entusiasmos me unen, ha ido en esta ocasión demasiado lejos. Avalle-Arce basa su argumen-

[5] Véase, sobre todo, el capital estudio de Grace S. Williams, *The Amadis question*, «Revue Hispanique», XXI, 1909, págs. 1-167; y para lo que ahora interesa, págs. 1-7.

[6] J.-B. Avalle-Arce, *El nacimiento de Amadís*, «Essays on narrative fiction in the Iberian Peninsule in honour of Frank Pierce», Oxford, 1982, págs. 17-18.

tación en un breve texto del *Libro de confesiones* dado a
conocer en 1978 por D.W. Lomax, que reproduzco
ahora íntegro. Martín Pérez indica lo que el confesor
debe preguntar al maestro de gramática en el sacra-
mento de la penitencia:

Demanda si leyó libros de amores malos et susios, et libros de mentiras et de caçorrías, ca todos son vedados de los santos et de derecho, nin se escusan por luengo uso. En el mal, uso más daña que ex-
cusa. Onde creo que muchos libros se suelen leer en la Gramática
de que non podrían dar bien la cuenta los maestros a Dios. Ca me-
ten en el coraçón de los escolares amores malos et carnales con
ellos, assý como Ovidio mayor, *De Arte*, et *Amadin*, *Panfilio* et otros
libros que leyen de mentiras. Ca otros y á para declinar et versificar
et costroyr et componer que son asás buenos et de buenos castigos
et de buena materia.[7]

Me parece evidente que aquí el verbo «leer» está
siempre en el conocido sentido de «explicar en la escuela, enseñar con textos»,[8] y que Martín Pérez se refiere a clases de gramática, o sea de latín. En ellas, dice, el
maestro, cuando enseña a sus alumnos a declinar, a
versificar, a construir y a componer, no debe basar sus
exposiciones y ejemplos en textos lascivos, como el
Metamorphoseos («Ovidio Mayor») y el *Ars amandi* (o

[7] D.W. Lomax, *Algunos autores religiosos, 1295-1350*, «Journal
of Hispanic Philology», II, 1978, pág. 89.
[8] «Leer vale también enseñar públicamente alguna ciencia o fa-
cultad, lat. *docere*», *Diccionario de Autoridades*, IV, Madrid, 1734, pág.
377. Es oportuno recordar ahora un famoso verso del *Libro de buen
amor*: «Don Amor a Ovidio leyó en la escuela» (612a).

Ars amatoria) de Ovidio, obra esta última cuyo título, en el manuscrito que transmite nuestro texto, aparece corrompido en «de Arte et Amadin» y que hay que enmendar en «de Arte amandi». Y, tras estas dos obras de Ovidio, Martín Pérez añade el *Pamphilus*, tan «leído» en las escuelas a partir del siglo XII, y que en el *Libro de buen amor* aparece también junto a Ovidio («Pánfilo e Nasón yo ove castigado», 429a). Nuestro texto se puede comparar con otros similares, como aquella prohibición de Oxford según la cual se deben desterrar de las escuelas libros como *Ovidius de arte amandi, Pamphilus de amore* y otros *eiusdem farinae* por ser corruptores de la juventud.[9]

El *Amadís*, además, no cuadra en este contexto, no tan sólo porque únicamente es imaginable en lengua vulgar y por lo tanto inaceptable para la enseñanza de la «gramática» en el siglo XIV, sino también porque no es libro que pueda ser empleado para aprender a «declinar et versificar et costroyr et componer».

Examinemos ahora veinte referencias al *Amadís de Gaula*, o a sus personajes, anteriores a la refundición hecha por Garci Rodríguez de Montalvo.

1. *¿Año 1350 o algo antes?* En 1906 señaló Foulché-

---

[9] Cfr. L. Rubio y T. González Roldán, introducción a Pamphilus, *De amore*, colección «Erasmo», Barcelona, 1979, pág. 29. Referencia procedente de A. Wood, *Historia et antiquitates Universitatis Oxoniensis*, Oxford, 1674, cols. 3b y 4b.

Delbosc[10] la que se ha venido considerando la más antigua mención conocida de Amadís, que halló en la edición incunable (Sevilla, 1494) de la *Glosa castellana al Regimiento de Príncipes de Egidio Romano*, compuesta por fray Juan García de Castrojeriz, y en glosa situada en el libro III, capítulo 13. Esta obra, por ir dedicada al «muy noble infante don Pedro, fijo primero, heredero del muy alto e muy noble don Alfonso, rey de Castilla, de Toledo, de León, etc.», ha de haber sido redactada antes del 26 de marzo de 1350, día en que murió Alfonso XI y el citado infante don Pedro pasó a ser Pedro I, después llamado el Cruel.

En 1969 y 1970 investigaciones de Sylvia Roubaud[11] han puesto en tela de juicio la primacía de la *Glosa castellana* en las menciones de la gran novela caballeresca. En efecto, además del incunable de 1494, la *Glosa* se conserva en ocho manuscritos de la versión llamada «larga». Seis de estos manuscritos se interrumpen antes de llegar al capítulo 13 del libro III y otro prescinde de las glosas, una de las cuales es la que hace referencia a Amadís. Sólo un manuscrito (Escorial K-I-15), copiado a finales del siglo xiv o principios del xv, ofrece la glosa en la que se menciona a Amadís. Ello plantea el serio problema de decidir si la glosa amadisíaca se debe a fray Juan García de Castrojeriz, que

[10] R. Foulché-Delbosc, *La plus ancienne mention d'Amadis*, «Revue Hispanique», XV, 1906, pág. 815.

[11] S. Roubaud, *Les manuscrits du «Regimiento de Príncipes» et l'«Amadís»*, «Mélanges de la Casa de Velázquez», V, 1969, págs. 207-222, y *Encore sur le «Regimiento» et l'«Amadís»*, ibid., VI, 1970, págs. 435-438.

escribía antes de 1350, o si es una interpolación posterior.[12] Cabe observar que el hecho de que esta glosa no se encuentre en siete manuscritos incompletos y que no alcanzan el capítulo 13 del libro III no permite concluir que se trate de una adición posterior; y nada se opone, en principio, a que el citado manuscrito del Escorial reproduzca una lectura anterior a 1350, también reproducida luego en el incunable. De todos modos, la duda es razonable.

Esta glosa, de texto similar en el manuscrito del Escorial y en el incunable,[13] comenta observaciones de índole guerrera que el original de Gil de Roma toma del *De re militari* de Vegecio y las complementa con una cita a un misterioso «poeta enico», que nada tiene que ver con Ennio, y sobre el cual no hay que olvidar la hipótesis de Rafael Lapesa,[14] que supone aquí el adjetivo *enico* o *ennico*, o sea «étnico», que se aplicaba desde la Edad Media a los filósofos gentiles.

El texto de la glosa amadisíaca es como sigue:

E allí fabla mucho Vejeçio de las penas que davan a los malos cavalleros, ca algunos son tan gloriosos [*vanagloriosos*] que non fazen fuerça si non del pareçer; e semejan cavalleros e non lo son, ca sus cavallerías cuentan entre las mugeres, de los quales dize el poeta enico que éstos cuentan maravillas de Amadís e de Tristán e del cavallero

---

[12] Cfr. S. Roubaud, *Les manuscrits*, pág. 218.

[13] En la edición moderna de J. Beneyto Pérez, *Glosa castellana al Regimiento de Príncipes de Egidio Romano*, «Biblioteca española de escritores políticos», tres volúmenes, Madrid, 1947, la mención de Amadís se halla en el volumen III, pág. 361.

[14] Hipótesis comunicada a S. Roubaud, véase *Encore*, pág. 438.

Çifar; e cuenta[n] de faziendas de Marte e de Archiles, e pónense entre los buenos, magera ellos sean astrosos. Ca tales nin han arte de lidiar nin uso de las armas, ca más entienden en loçanías que en cavallerías. Et por ende non son dignos de los poner en las faziendas grandes nin ningunt cabdillo puede ser seguro d'ellos nin los deve llevar consigo ...[15]

2. *Año 1372.* El infante don Juan de Aragón, duque de Gerona, que luego reinó con el nombre de Juan I, gran cazador, tenía en su jauría varios perros con nombres de personajes literarios, como Tristany, Paris, Ogier y Merlín, y entre ellos un alano blanco llamado Amadís,[16] documentado el primero de marzo de 1372 en cartas donde se dice que fue comprado por 30 florines a un carnicero de Zaragoza y que había huído de Barcelona, pero que personas que viajaban de Cervera a Lérida sabían «que·l dito can tenía el camino de Lérida, e tenemos que sea ido a Saragossa e tornado a casa del carnicero».[17] Nada permite deducir si este alano fue «bautizado» con el nombre de Amadís por el carnicero de Zaragoza o por el infante don Juan, aunque la onomástica literaria de otros muchos de los perros de éste haga suponer que recibió el nombre en la corte.

[15] Transcribo según el facsímil de la página del manuscrito del Escorial que da Roubaud, *Les manuscrits*, pág. 220.

[16] A. Rubió y Lluch, *Documents per l'història de la cultura catalana medieval*, II, Barcelona, 1921, pág. 327, nota 1.

[17] J.Mª. Roca, *Johan I d'Aragó*, «Memorias de la Real Academia de Buenas Letras de Barcelona», XI, 1929, pág. 284. La carta ha sido comprobada por mí en el Archivo de la Corona de Aragón, reg. 1738, fol. 84v.

3. *Poco después de 1378.* En el *Libro rimado del Palaçio* del canciller don Pero López de Ayala (nacido en 1332 y muerto en 1407), en una estrofa perteneciente al conjunto que se supone escrito poco después del año 1378,[18] y al tratar de los pecados que se cometen con el sentido del oído, se dice:

> Plógome otrosí oír muchas vegadas
> libros de devaneos, de mentiras provadas,
> Amadís e Lançalote e burlas estancadas
> en que perdí mi tienpo a muy malas jornadas.[19]

Se deduce de estos versos que novelas como las de Lancelot y de Amadís eran difundidas mediante la lectura pública, en nuestro caso seguramente en veladas o comidas en casas señoriales. Aunque el canciller Ayala trata de lecturas a las que asistió en tiempo pasado, nada permite precisarlo, si bien cabe la posibilidad de que se refiera a su juventud, lo que nos llevaría entre 1340 y 1350.

4. *Finales del siglo XIV.* El poeta Pero Ferrús, del que se sabe, por Villasandino, que había muerto antes de 1405,[20] y que es autor de un dezir al rey don Enrique que ha de fecharse entre 1379 y 1382,[21] hace referencia al

---

[18] Véase Pero López de Ayala, *Libro rimado del palaçio*, edición y estudio de J. Joset, «Alhambra», I, 1978, pág. 49.

[19] Estrofa 163, edición Joset, I, pág. 111.

[20] Cfr. Williams, *The Amadis question*, pág. 2.

[21] «Don Enrrique fue mi nombre», edición de J.M. Azáceta, *El cancionero de Juan Alfonso de Baena*, «Clásicos Hispánicos», II, Madrid, 1966, nº 304, págs. 657-661, y para la fecha véase la nota.

Amadís en dos de sus poesías. En una de ellas compara su satisfacción amorosa a las riquezas del rey Lisuarte, el padre de Oriana, la amada de Amadís:

> Jamás non avré cuydado
> nin tristesa de mi parte,
> pues que so enamorado
> de la que amo syn arte.
> Nunca fue rrey Lysuarte
> de rriquesas tan bastado
> como yo, nin tan pagado
> fue Rroldán con Durandarte.[22]

5. *Finales del siglo XIV.* La otra referencia al *Amadís* hecha por Pero Ferrús se encuentra en un dezir dedicado a don Pero López de Ayala, que ya sabemos que era aficionado a esta novela. El dezir trata del tiempo frío, de pedriscos, vientos huracanados y grandes lluvias, con menciones de personajes griegos, troyanos, romanos y bíblicos y, en dos estrofas, de héroes literarios:

> Rey Artur e don Galás,
> don Lançarote e Tristán,
> Carlos Magno, don Rroldán,
> otros muy nobles asaz,
> por las tales asperezas
> non menguaron sus proezas,
> segund en los lybros yas.

---

[22] «Jamás non avré cuydado», *Cancionero de Baena*, nº 301, edición de Azáceta, II, pág. 651.

Amadýs, el muy fermoso,
las lluvias e las ventyscas
nunca las falló aryscas
por leal ser e famoso.
Sus proesas fallaredes
en tres lybros, e dyredes:
que le Dyos dé santo poso.[23]

El tema general de este dezir no obliga forzosamente a suponer que en el *Amadís* que conoció Pero Ferrús el héroe soportara las incomodidades de «las lluvias e las ventyscas».

6. *Año 1405*. En el dezir que escribió micer Francisco Imperial con motivo del nacimiento de Juan II de Castilla (6 de marzo de 1405), Amadís y Oriana aparecen como prototipo de enamorados famosos:

Todos los amores que ovieron Archiles,
Paris e Tróyolos de las sus señores,
Tristán, Lançarote, de las muy gentiles
sus enamoradas e muy de valores,
él e su muger ayan mayores
que los de Paris e los de Vyana,
e de Amadís e los de Oryana,
e que los de Blancaflor e Flores.[24]

---

[23] «Los que tanto profasades», *Cancionero de Baena*, nº 305, edición de Azáceta, II, pág. 663.

[24] «En dos seteçientos e más doss e tres», en Micer Francisco Imperial, *El dezir de las syete virtudes y otros poemas*, edición de C. I. Nepaulsingh, «Clásicos Castellanos», Madrid, 1977, págs. 84-85.

7. *Año 1405*. Muy poco después del anterior dezir micer Francisco Imperial escribió otro en honor del infante don Fernando el de Antequera, donde Amadís es mencionado en la misma estrofa en que aparecen el rey Ban de Benoic, padre de Lancelot, Tristán, Blancaflor, la enamorada de Flores, y Polidoro, hijo de Príamo y Hécuba:

> Del linage del rey Ban
> leý e de muchos señores,
> e otrosý de Tristán,
> que fenesçió por amores,
> de Amadís e Blancaflores
> e del lindo Apidaloro,
> que fue de Écuba lloro
> en sus últimos dolores.[25]

8. *Año 1407*. En un dezir que escribió fray Migir con motivo de la muerte de Enrique III (25 de diciembre de 1406) se desarrolla el tema del *ubi sunt* y en las estrofas que se aplica a guerreros aparece Amadís:

> Aquel grande Ércoles, famado guerrero,
> Uriges e Archiles e Diomedés,
> don Étor e Parys, el buen cavallero,
> Orestes, Dardam e Palomadés,
> Eneas e Apolo, Amadýs aprés,
> Tristán e Galás, Lançarote del Lago,

---

[25] «En muchos poetas leý», edición de Nepaulsingh, págs. 95-96.

e otros aquestos, deçitme, ¿quál drago
trago todos estos e d'ellos qué es?[26]

9. *Año 1409*. En la tumba de Sevilla del maestre de
Santiago don Lorenzo Suárez de Figueroa (muerto en
1409) figura un perro en cuyo collar se lee: *Amadís,
Amadís*.[27] La hija de don Lorenzo, doña Catalina de Figueroa, se había desposado en 1408 con don Íñigo López de Mendoza, que será marqués de Santillana, con
el que se casó en 1416.

10. *Antes de 1424*. Alfonso Álvarez de Villasandino (muerto en 1424), en un dezir dedicado a don Ruy
López Dávalos, condestable de Castilla (dignidad que
ostentó desde 1410), y que escribía ya viejo, se compara
con Macandón, personaje secundario del *Amadís de
Gaula*:

> E pues non tengo otra rrenta
> quise ser con grant rrazón
> el segundo Macandón,
> que después de los ssesenta
> començó a correr tormenta
> e fue cavallero armado.
> Mi cuerpo viejo, cansado,
> Dios sabe sy sse contenta.[28]

[26] «Al grande Padre Santo e los cardenales», *Cancionero de Baena*, nº 38, edición de Azáceta, I, pág. 95.

[27] A. Amador de los Ríos, *Historia crítica de la literatura española*, V, Madrid, 1864, pág. 84, nota.

[28] «Pues no ay quien por mí fable», *Cancionero de Baena*, nº 72,
edición de Azáceta, I, pág. 158.

11. *Antes de 1424.* Juan Alfonso de Baena, en un dezir que escribió en el ciclo de poesías suscitadas por un discor suyo en el que alude a Villasandino (muerto en 1424), hace una referencia al rey Lisuarte:

> Pues juro syn arte
> al rey Lysuarte
> que luego lo encarte
> en pocos renglones ...[29]

12. *Año 1424.* En un dezir de Alfonso Álvarez de Villasandino, en el que se da a don Álvaro de Luna el título de condestable (dignidad que obtuvo en diciembre de 1423), hay una nueva referencia a Lisuarte:

> Álvaro, sseñor, yo arguyo,
> maguer non sé arguyr,
> que me digades por cúyo
> devo en Castilla bevir;
> o sy me cunple sofrir
> fasta que·l grant Lissuarte
> me faga rrey o me farte,
> commo le pueda servir
> en un juego de rreyr.[30]

13. *Año 1434.* El 23 de julio de 1434 llegó al puente de Órbigo para intervenir en el Passo Honroso el caba-

---

[29] «Muy alto benigno», *Cancionero de Baena*, nº 395, edición de Azáceta, III, pág. 859.

[30] «Álvaro, sseñor, yo arguyo», *Cancionero de Baena*, nº 188, edición de Azáceta, II, pág. 344.

llero Galaor Mosquera, «de la compañía de Juan de Merlo», y el día 28 justó con el mantenedor Pedro de los Ríos.[31] Si suponemos que este caballero, sin duda portugués como Juan de Merlo y como hace creer su apellido, rondaba por los veinte años, concluiremos que debió de nacer hacia 1414; y su padrino de bautismo le impuso el nombre de Galaor, el hermano de Amadís.

14. *Hacia 1443*. En un famoso dezir de Juan Alfonso de Baena, dirigido a Juan II «por los años de 1443»,[32] el poeta enumera sus lecturas, entre ellas:

> Yo leý del capitán
> y grant duque de Bullón,
> de Narçiso y de Jasón,
> d'Ércoles e de Roldán,
> Carlo Manos e Florestán,
> de Amydís e Lançarote,
> Valdovín e Camelote,
> de Galás e de Tristán.[33]

15. *Antes de 1445*. Anterior a 1445, por encontrarse recogido en el Cancionero de Baena, es un dezir de Fernán Pérez de Guzmán (nacido hacia 1378 y muerto

[31] Véase Pedro Rodríguez de Lena, *El Passo Honroso de Suero de Quiñones*, edición de A. Labandeira Fernández, Madrid, 1977, págs. 256 y 300-301.

[32] M. Menéndez Pelayo, *Antología de poetas líricos castellanos*, I, Madrid, 1944, pág. 414.

[33] «Para rey tan exçelente», *Cancionero de Baena*, edición de Azáceta, III, págs. 1167-1168.

hacia 1460), en el que hay una referencia a Oriana entre las «dueñas de linda apostura» que no pudieron escapar al rigor de la muerte:

Gynebra e Oriana
e la noble rreyna Yseo,
Minerrva e Adryana,
dueñas de gentyl asseo,
segund que yo estudio e leo
en escrituras provadas
non pudieron ser libradas
d'este mal escuro e ffeo.[34]

16. *Antes de 1460.* El poeta Juan de Dueñas, nacido a principios del siglo xv y muerto antes de 1460,[35] en un dezir amoroso hace referencia a Amadís y a Oriana:

Pues pensar bien qué dezís,
mi senyora verdadera,
que por cierto si yo fuera
en el tiempo d'Amadís,
según vos amo y adoro
muy lealmente sin arte,
nuestra fuera la más parte

---

[34] «Tú, omne, que estás leyendo», *Cancionero de Baena*, n⁰ 572, edición de Azáceta, III, pág. 1146. El Cancionero de Íxar atribuye este dezir a Fernando de la Torre.

[35] Cfr. Francisca Vendrell de Millás, *Poesías inéditas de Juan de Dueñas*, «Revista de Archivos, Bibliotecas y Museos», LIV, 1958, págs. 149-155.

de la ínsola del Ploro ...

Pues por cierto mis amores
non fuera suya tan plana
de la gentil Oriana
la capilla de las flores;
ni fuera tan escogida
en beldat, yo así lo creo,
la hermosa reyna Iseo
si vós fuérades naçida.[36]

17. *Entre 1435 y 1462*. Entre estos años se escribió la novela caballeresca catalana anónima *Curial e Güelfa*[37] en la que en un simbólico episodio la protagonista es herida por una flecha de Cupido, lo que alegra a famosas parejas de enamorados:

Aquí vírats Tisbes e Píramus fer-se maravellosa festa, Flors e Blanca-flor, Tristany e Ysolda, Lançalot e Genebra, Frondino e Brisona, Amadís e Uriana, Phedra ab Ypòlit, Achilles tot sol menaçant son fill Pirro, Tròyol e Briseyda, Paris e Viana, e molts altres, dels quals, per no ésser lonch, me callaré.[38]

18. *Año 1463*. El historiador portugués Gomes Ea-

[36] «Vi, senyora, una carta», en *El cancionero de Palacio*, edición de Francisca Vendrell de Millás, Barcelona, 1945, nᵒ 233, pág. 305.

[37] Cfr. M. de Riquer, *Història de la literatura catalana*, II, Esplugues de Llobregat, 1964, pág. 621.

[38] Ediciones de R. Aramon i Serra, *Curial e Güelfa*, «Els Nostres Clàssics», III, Barcelona, 1933, pág. 230, y de R. Miquel y Planas, *Curial e Guelfa*, «Biblioteca catalana», Barcelona, 1933, pág. 445.

nes de Zurara, en su *Crónica do conde don Pedro de Meneses*, comenzada hacia 1458 y acabada en julio de 1463,[39] hace una mención al *Amadís* que ha sido muy discutida por los que debaten el problema de un hipotético original portugués de la novela:

… muitos autores cobiçosos d'allargar suas obras forneciam seus livros recontando tempos que os principes passavam em convites e assý de festas e jogos e tempos allegres, de que se nom seguia outra cousa se nom a deleitação delles mesmos, assý como som os primeiros feitos de Ingraterra, que se chamava Gram Bretanha, e assý o Livro d'Amadís, como quer que soomente este fosse feito a prazer de hum homem, que se chamava Vasco Lobeira, em tempo d'El Rey Dom Fernando, sendo todas-las cousas do dito livro fingidas do autor.[40]

19. *Hacia 1474*. Pero Guillén de Segovia, nacido en 1413 y muerto poco después de 1474, en el diccionario de rimas de su obra *La gaya ciencia*, que redactó ya viejo, incluye, en sus correspondientes consonantes, a nueve personajes del *Amadís*: Agrajés (118,24),[41] Amadís (133,37), Angriote (172,1), Dardán (87,25), Florestán (87,37), Gandalín (98,32), Lisuarte (204,26), Oryana (151,29) y Urganda (189,29).

[39] Cfr. M. Rodrigues Lapa, *Lições de literatura portuguesa*, Coimbra, 1973, pág. 394.

[40] *Collecção de livros inéditos de historia portugueza*, II, Lisboa, 1792, pág. 422.

[41] Remito a la numeración de páginas y líneas de la edición de O. J. Tuulio y J. M. Casas Homs, *La gaya ciencia de P. Guillén de Segovia*, dos tomos, «Clásicos Hispánicos», Madrid, 1962.

20. *Años 1483 y 1484.* En la tenção o debate poético portugués *O Cuydar e Sospirar*, en la que intervinieron diez poetas y que se celebró en sesiones de los años 1483 y 1484, Nuno Pereira, en defensa de Cuydado, aduce:

> Se o dissesse Horyana,
> e Yseu alegar posso,
> diryam quem se engana,
> que sospiros sam oufana,
> cuydado, quebranto nosso ...;

y Jorge da Silveira le replica:

> Alegaysme vos Iseu
> e Oriana com ella,
> e falaes no cuydar seu
> como que nunca ly eu
> sospirar Tristam por ella.[42]

En su refundición del *Amadís de Gaula*, que conocemos a partir de la edición de Zaragoza de 1508, Garci Rodríguez de Montalvo hace referencias y alusiones a textos anteriores de la novela, que han sido objeto de frecuentes análisis y que creo útil examinar de nuevo.

[42] Corrêa de Oliveira y Saavedra Machado, *Textos portugueses medievais*, Coimbra, 1964, pág. 319, y Williams, *The Amadis question*, pág. 6.

En el prólogo general afirma Montalvo que su labor literaria se llevó a término

corrigiendo estos tres libros de Amadís, que por falta de los malos escriptores o componedores muy corruptos y viciosos se leýan, y trasladando y enmendando el libro quarto con las *Sergas de Esplandián*, su hijo, que hasta aquí no es en memoria de ninguno ser visto, que por gran dicha paresció en una tumba de piedra que debaxo de la tierra en una hermita, cerca de Constantinopla fue hallada, y traýda por un úngaro mercadero a estas partes de España, en letra y pargamino tan antiguo que con mucho trabajo se pudo leer por aquellos que la lengua sabían (edición de Place, I, pág. 9, líneas 85-94).

Se distinguen en estas líneas unas afirmaciones ciertas y otras fantasiosas. Las primeras hacen referencia a un anterior *Amadís* en tres libros, que se transmitía mediante copias manuscritas muy corrompidas («por falta de los malos escriptores», o sea amanuenses) y también mediante ediciones impresas («por falta de los malos ... componedores»),[43] textos que Montalvo afirma que se limitó a corregir. Las fantasías atañen al libro cuarto del *Amadís* y a su continuación las *Sergas de Esplandián* (que constituirá el libro V del *Amadís*, que se imprimirá a partir de 1510), sin duda alguna obra personal de Montalvo, pero que éste, siguiendo una

[43] «Componer, entre los impressores, es ir juntando las letras o caracteres que las van sacando de sus apartados», S. de Covarrubias, *Tesoro de la lengua castellana o española*, edición de M. de Riquer, Barcelona, 1943, pág. 344. No creo en absoluto inverosímil suponer la existencia de ediciones impresas de un *Amadís* anterior al de Montalvo, que es lo que éste reconoce en esta frase.

vieja tradición literaria desde las novelas francesas del XII, finge traducir y enmendar («trasladando y enmendando») de un ficticio original en una imprecisada lengua, sin duda el griego, que misteriosamente se encontró en una lejana tumba. Existió, pues, según Montalvo, un primitivo *Amadís* en tres libros, al que añadió, de invención personal, un cuarto libro (todo ello impreso en la edición de 1508) y su continuación las *Sergas de Esplandián*.

Al final del *Amadís de Gaula* (libro IV, capítulo CXXXIII) Montalvo hace referencia a ciertas personas, a su ver poco informadas, que creían que Esplandián mató a su padre Amadís (tema del que volveremos a tratar), creencia que sólo puede proceder de una antigua versión de la novela, sin duda bastante divulgada, que al refundidor le convenía desterrar porque no justificaría su continuación en el libro IV y en las *Sergas de Esplandián*. Se trata de una carta de Urganda la Desconocida donde, entre otras cosas, dice dirigiéndose a Amadís:

Dexa las armas para aquel a quien las grandes vitorias son otorgadas de aquel alto Juez que superior para ser su sentencia revocada no tiene, que los tus grandes hechos de armas por el mundo tan sonados, muertos ante los suyos quedarán, assí que por muchos que más no saben será dicho que el hijo al padre mató (IV, 1340, 1273-1282).

El famoso pasaje de Briolanja, tan interesante desde el punto de vista de la creación novelística y tan intrigante, ha sido muy diversamente interpretado.

Amadís y Agrajes llegan al castillo de Torín, en el que residían la niña Briolanja y Grovenesa. Briolanja se enamora apasionadamente de Amadís, el cual, en realidad, siempre fue fiel a Oriana. Pero «el señor infante don Alfonso de Portugal, aviendo piedad d'esta fermosa donzella», lo mandó poner de otro modo. Según la versión impuesta por el infante, Briolanja, una vez recuperado su reino, viendo que no podía conseguir que Amadís la amara, pidió a una doncella que había guiado a Galaor que exigiera a Amadís el don que éste le había prometido incautamente, consistente en que no saldría de una torre hasta tener un hijo de Briolanja. Amadís, encerrado en la torre, se negó a ello, y el poco dormir y el escaso comer lo llevaron cerca de la muerte. Sabido ello por Oriana, le mandó decir que accediera a lo que se le exigía; y así Amadís transigió y tuvo de Briolanja un hijo y una hija gemelos. «Pero ni lo uno ni lo otro — apostilla Montalvo — no fue assí», sino que, viendo Briolanja que Amadís languidecía en la torre, mandó a la doncella que le dispensara del don prometido y que Amadís no se fuera de allí hasta que llegara Galaor, a fin de gozar más tiempo de su presencia. «Esto leva más razón de ser creýdo, porque esta fermosa reyna [Briolanja] casada fue con don Galaor, como el quarto libro lo cuenta» (I, 318-319, 463-527).

Es evidente que Montalvo opone aquí dos o más versiones de este episodio, una de las cuales, que es tajantemente rechazada, supone la intromisión de un infante don Alfonso de Portugal en el trabajo de un anónimo autor de un primitivo *Amadís*. Lo más delicado es identificar a este infante, porque si estas consideraciones de Montalvo reposaran sobre datos reales, ello permitiría situar cronológicamente esta antigua versión del *Amadís*.

Encuentro demasiado cómoda y gratuita la hipótesis de Carolina Michaëlis de Vasconcelos, vista con simpatía por María Rosa Lida,[44] y según la cual la referencia al infante don Alfonso sería una apostilla antigua que se ha deslizado en el texto.

Por lo común los críticos descartan que este infante don Alfonso de Portugal sea el nacido en 1263 y muerto en 1312, hijo de Alfonso III, y lo identifican con el que luego fue Alfonso IV, nacido en 1290 y rey de 1325 a 1357.[45] Si esta identificación se pudiera dar como segura habría que admitir que Montalvo no tenía idea clara de a qué infante aludía, pues, escribiendo casi dos siglos después, esta referencia es equívoca y confusa si no se precisa: «el señor infante don Alfonso de Portugal, *que luego fue rey*», o algo similar, como se suele y solía hacerse en estos casos; y más aún si tenemos en cuenta que todo lector de este pasaje de la novela debía pensar que se refería a otro Alfonso que bien conocía. Se trata del príncipe don Alfonso de Portugal, hijo de Juan II, nacido en 1475 y muerto en 1491, desposado desde un año antes con Isabel de Aragón, hija de los

[44] María Rosa Lida de Malkiel, *El desenlace del Amadís primitivo*, en *Estudios de literatura española y comparada*, Buenos Aires, 1966, pág. 151, nota 2.

[45] Véase para todo esto el libro de J. M. Cacho Blecua, *Amadís: Heroísmo místico y cortesano*, Madrid, 1979, págs. 359-361, quien, en la nota 12, limita la intervención del infante entre 1304 y 1312.

Reyes Católicos. Place[46] defiende esta identificación, que osaría afirmar que es la más lógica y convincente, si no fuera porque Cacho Blecua, muy atinadamente, objeta que a este don Alfonso jamás se le llama «infante», como hace Montalvo, sino «príncipe».[47] La intromisión sentimental a favor de Briolanja en nuestro episodio cuadraría bien a un príncipe muy jovencito, como este don Alfonso, muerto a los dieciséis años.

A pesar de todo ello, y dejando aparte el debatido problema del «villancico» (II, 444, 203-235) de Leonoreta, que sin duda es una canción tradicional que debería saber todo el mundo, parece más encaminado admitir, con toda suerte de salvedades, que Montalvo, en el episodio de Briolanja, se refiere a una antigua versión del *Amadís* de principios del siglo XIV, aunque esta argumentación es muy endeble.

Si hacemos caso de la afirmación hecha en 1463 por Zurara (mención **18**), en tiempos del rey don Fernando de Portugal (1367-1383) existía un libro de *Amadís* en lengua que el cronista no precisa y que fue escrito por un autor cuyo nombre calla, el cual lo redactó «para complacer» («a prazer»)[48] a Vasco Lobeira. Es bien cierto que no dice en modo alguno que Vasco Lobeira fuera el autor del *Amadís*, sino que se expresa de modo que puede hacer suponer que Zurara o bien conoció una versión de la novela dedicada a Vasco Lobeira o

46 *Amadís de Gaula*, III, págs. 922-923.

47 Cacho Blecua, *Amadís*, págs. 359-360, nota 9.

48 Cfr. «*A prazer de*, à vontade, segundo o alvedrio de», C. de Figueiredo, *Novo dicionário da língua portuguesa*, II, Lisboa, 1937, pág. 686.

bien que vio un manuscrito del libro que era propiedad de éste y llevaba su nombre y armas.

La versión del *Amadís* conocida por Zurara seguramente corresponde a la citada en la *Glosa castellana al Regimiento de Príncipes de Egidio Romano* (mención **1**), que es sin duda la que llegó al duque de Gerona antes de 1372 (mención **2**) y que pudo leer en su juventud, entre 1340 y 1350, el canciller Ayala (mención **3**).[49] Sabemos por Pero Ferruz (mención **5**) que esta versión constaba de tres libros y que acababa con la muerte de Amadís («que le Dyos dé santo poso», o sea reposo), final conocido y rechazado, como acabamos de ver, por Montalvo. En 1953 María Rosa Lida publicó un brillantísimo trabajo,[50] en el que argumentaba que el primitivo *Amadís* en tres libros finalizaba con una batalla singular en la que luchaban, sin reconocerse, Amadís y su hijo Esplandián, y éste mataba a aquél. Y de afirmaciones hechas por Montalvo en las *Sergas de Esplandián*, podemos concluir que, tras esta trágica batalla, «Oriana se despeñó de una ventana abajo».[51]

El descubrimiento y publicación de los fragmentos del *Amadís* de hacia 1420, que confirmaron conclusiones de María Rosa Lida, ponen de manifiesto que efec-

[49] Por lo que se refiere al armamento personal en el *Amadís*, véase más adelante.

[50] María Rosa Lida de Malkiel, *El desenlace del Amadís primitivo*, «Romance Philology», VI, 1953, págs. 283-289, trabajo reproducido en el libro señalado en la anterior nota 44.

[51] Tras dar la versión, que considera falsa, de la muerte de Amadís, Montalvo añade: «y sabido por Oriana se despeñó de una ventana abajo», *Las sergas de Esplandián*, capítulo XXIX.

tivamente alcanzaba al libro III, que debió de ser más extenso que el de Montalvo y que la refundición de éste más tendía a abreviar que a ampliar.[52]

Las veinte menciones antes reunidas corroboran que durante todo el siglo xv Amadís y Oriana eran contados entre los más famosos enamorados (menciones **6** y **17**), que el rey Lisuarte era conocidísimo (menciones **4**, **11** y **12**), así como Galaor (mención **13**) y Florestán (mención **14**), hermanos de Amadís. Todos estos personajes figuran en la novela a partir del libro I.

Las menciones de Villasandino (**10**) y de Juan de Dueñas (**16**) hacen referencia a un episodio desarrollado en el libro II, capítulos LVI y LVII. Se narra en ellos que llegó a la corte del rey Lisuarte un anciano escudero griego, que luego se sabe que se llamaba Macandón, que traía una espada muy bella y ardiente que sólo podría ser extraída de su verde vaina por el caballero que más amara a su amiga, y «un tocado de unas muy fermosas flores» (II, pág. 468, 248-249), la mitad verdes y la otra mitad mustias, y éstas reverdecerán cuando el tocado se ponga en la cabeza de la dueña o doncella que más ame a su amigo. El anciano escudero sólo podrá ser armado caballero por quien logre desenvainar aquella espada, y no podrá tomar espada hasta que se la dé aquella en quien el tocado reverdezca. Hace «sesenta años» (II, pág. 468,213) que el anciano escudero recorre cortes de emperadores y reyes sin encontrar a los que superen aquellas pruebas. Éstas se verifican

[52] A. Rodríguez Moñino, *El primer manuscrito del Amadís de Gaula*, pág. 215.

cinco días después: en la de la espada fracasan el rey Lisuarte, Galaor, Florestán, Galvanes, Grumedán, Brandoyvas, Ladasín, Guilán el Cuydador, Agrajes, Palomir y Dragonís, pero triunfa Amadís (Beltenebrós). A continuación Lisuarte ordenó que la reina y las otras damas «provassen el tocado de las flores» (II, pág. 478,311), prueba en la que fracasaron la soberana, Briolanja, Elvida, Estrelleta, Aldeva y Olinda; pero cuando le tocó el turno a Oriana y «pusiéronle el tocado en la cabeça ... , luego las flores secas se tornaron tan verdes y tan fermosas, de manera que no se podía conoscer quáles fueron las unas ni las otras» (II, 479,364-369). Acto seguido Amadís armó caballero a Macandón y Oriana le dio una espada.

Villasandino, lamentando su vejez, se compara en su dezir (mención **10**) a Macandón, quien «después de los ssesenta» empezó a recorrer el mundo y finalmente «fue cavallero armado»; y Juan de Dueñas afirma en el suyo (mención **16**) que, si a la prueba se hubiera sometido su dama, no le hubiera sido tan fácil la victoria a la gentil Oriana con «la capilla de las flores», donde *capilla* está en el conocido sentido de «capucha».[53] Cabe suponer que este florido cubrecabezas en el *Amadís* primitivo era llamado «capilla» y que Montalvo lo substituyó por «tocado», que no se presta a confusión.

Ya sabemos que los fragmentos del *Amadís* de hacia 1420 corresponden a capítulos del libro III; y así,

[53] Desde Nebrija, por lo menos, «capilla de capa» tiene el valor de *cuculus, cappuccio, capuchon*, etc; cfr. S. Gili Gaya, *Tesoro lexicográfico (1492-1726)*, I, Madrid, 1960, pág. 468.

gracias a las menciones estudiadas, tenemos nueva constancia de los tres libros que constituían nuestra novela antes de la refundición de Montalvo.

Hay que aceptar que en el *Amadís* primitivo de los siglos xiv y xv, en sus posibles y tal vez múltiples versiones, se narraban episodios y se daban detalles que no reaparecen en la refundición de Montalvo, que debió de suprimirlos unas veces para abreviar y otras para no malograr su continuación (libro IV y *Sergas*) con antecedentes que la contradijeran.

Como acabamos de ver suprimió la muerte de Amadís en una batalla con su hijo Esplandián y el suicidio de Oriana tirándose por una ventana. Pero también suprimió episodios enteros de menos entidad. Juan de Dueñas (mención **16**), que conoce la victoria de Oriana con el tocado («la capilla») de las flores, final del episodio de Macandón, que Montalvo respetó, conoce también otro episodio que Montalvo suprimió, el de la Ínsola del Ploro, que no creo que haya que identificar, como supuso Entwistle[54] y admite Cacho Blecua,[55] con la Ínsola Firme, sino que constituye un préstamo a la Ínsola del Ploro, o del Poro, del *Tristán* castellano, como argumenta prolijamente Jole Scudieri Ruggieri,[56] para concluir que se trata de un episodio que figuró en el *Amadís* primitivo y que fue suprimido

[54] W.J. Entwistle, *The arthurian legend in the literature of the Spanish Peninsula*, Londres, 1925, pág. 219.

[55] Cacho Blecua, *Amadís*, pág. 375.

[56] Jole Scudieri Ruggieri, *Due note di letteratura spagnola del s. XIV*, «Cultura Neolatina», XXVI, 1966, págs. 238-246.

por Montalvo. Y aunque se negara esta relación de nuestra novela con el *Tristán*, que tan presente tiene en multitud de detalles y en la onomástica de los personajes de la ficción, lo que no parece verosímil es que la Ínsola Firme, tan importante en el *Amadís*, hubiese tenido en versiones primitivas el tan poco adecuado nombre de «ínsula del llanto». Cabría la hipótesis de que la Ínsola del Ploro fuera la que en el *Amadís* refundido es llamada Ínsola Triste (edición de Place, III, 670,809-810 y 679,71-72), posesión del bravo y cruel gigante Madarque, en la que tenía recluidos a varios presos, entre ellos Galaor y el rey Cildadán, que son liberados por Amadís y Bruneo de Bonamar en el capítulo LXV del libro III; pero la referencia de Juan de Dueñas no permite que las dos ínsulas sean la misma.

Agrajes en la tradición

En el capítulo VIII de la primera parte del *Quijote* (1605) el vizcaíno interpela airadamente al hidalgo manchego porque está impidiendo que siga adelante el coche en que va su señora y «en mala lengua castellana y peor vizcayna», lo conmina a pelear con él con la espada:

— ¿Yo no cavallero? Juro a Dios tan mientes como christiano. ¡Si lança arrojas y espada sacas, el agua quán presto verás que al gato llevas! Vizcayno por tierra, hidalgo por mar, hidalgo por el diablo, y mientes que mira si otra dizes cosa.

— ¡Aora lo veredes, dixo Agrages! — respondió don Quixote. Y arrojando la lança en el suelo, sacó su espada y embraçó su rodela, y arremetió al vizcaýno con determinación de quitarle la vida.[57]

El mismo Cervantes, en el entremés de *La guarda cuydadosa* (impreso desde 1615), hace dialogar al Sacristán y al Soldado:

SAC. ¿Es porque me ve sin armas? Pues espérese aquí, señor guarda
      cuydadosa, y verá quién es Callejas.
SOL. ¿Qué puede ser un Pasillas?
SAC. Aora lo veredes, dixo Agraxes.[58]

En la *Visita de los chistes* o *Sueño de la muerte* de don Francisco de Quevedo, que se fecha en 1621 y 1622, el narrador quiere ir tras un nigromántico con el que acaba de conversar:

Yo quise partir tras él, cuando me asió del brazo un muerto, y dijo:
— Déjale ir. Que nos tenía con cuidado a todos. Y cuando vayas al otro mundo, di que Agrages estuvo contigo, y que se queja de que le levantéis: *Agora lo veredes.* Yo soy Agrages. Mira bien que no he dicho tal. Que a mí no se me da nada que ahora ni nunca lo veáis. Y siempre andáis diciendo: *Ahora lo veredes, dijo Agrages.* Sólo ahora, que a ti y al de la redoma os oí decir que reinaba Filipo IV, di-

---

[57] *Don Quixote de la Mancha*, I, Madrid, 1928, pág. 124, en R. Schevill y A. Bonilla, *Obras completas de Miguel de Cervantes Saavedra.*
[58] *Comedias y entremeses*, IV, Madrid, 1918, pág. 63, en *Obras completas.*

go que ahora lo veredes. Y pues soy Agrages, *ahora lo veredes, dijo Agrages.*[59]

Esta frase proverbial, registrada en once textos del siglo XVII y en seis del XVIII y XIX en las autoridades reunidas en el *Diccionario histórico* académico,[60] ofrece, desde las primeras menciones recogidas, cierto tinte arcaico, no raro en expresiones populares, patente en la alternancia de las formas *agora* y *ahora* y en la desinencia de la segunda persona del plural *veredes*, en vez de la moderna *veréis.*

Como ya he observado al principio, en el *Amadís de Gaula* que conocemos, Agrajes, personaje importante de la novela, nunca dice «Agora lo veredes»; y añado ahora que esta frase, así, nunca podía haberla proferido en el texto de Montalvo. En efecto, Montalvo, en su refundición del *Amadís*, jamás utiliza la forma arcaica «veredes» y sí la moderna «veréys». Véanse, como muestra, tres ejemplos extraídos de cada uno de los cuatro libros de la novela, según la edición de Zaragoza de 1508.[61]

[59] Quevedo, II, *Los sueños*, edición de J. Cejador y Frauca, Madrid, 1916, págs. 248-249, colección «Clásicos castellanos».

[60] Real Academia Española, *Diccionario histórico de la lengua española*, I, Madrid, 1972, pág. 1013a.

[61] En todos estos ejemplos, y en los demás casos que aparecen en el impreso de Zaragoza de 1508, en la edición de Pascual de Gayangos (*Libros de caballerías*, «Biblioteca de autores españoles», Madrid, 1857, págs. 1-402), también se lee «veréis»; y Gayangos basó su texto en la edición del *Amadís de Gaula* de Venecia de 1533, que se remonta, independientemente de la de Zaragoza, a un arquetipo perdido.

Venid y veréys la más fermosa criatura que nunca fue vista (I,2; edición de Place, I,32,514-515; de Gayangos, pág. 8a).

Agora veréys cómo vos castigaré por ello (I,2; edición de Place, I,32,545-546; de Gayangos, pág. 8a).

Vayamos tras él, si lo aver pudiéremos, y veréys cómo me vengo (I,36; edición de Place, I,289,118-120; de Gayangos, pág. 85a).

quanto agora veréys (II,45; edición de Place, II,374,153-154; de Gayangos, pág. 112a).

muy presto lo veréys (II,60; edición de Place, II,513,116; de Gayangos, pág. 157a).

cavalgad y veréys nuestra batalla (II,64; edición de Place, II, 581,951; de Gayangos, pág. 181a).

assí como lo agora veréys (III,76; edición de Place, III, 850,540-541; de Gayangos, pág. 248b).

mañana los veréys en vuestra corte (III,78; edición de Place, III, 877,709-710; de Gayangos, pág. 257b).

Pues ahora veréys cómo aquel que tan fermoso armado y a cavallo os parece ... (III,79; edición de Place, III, 883,163-165; de Gayangos, pág. 259b).

salid fuera y veréys cómo Trión es preso (IV,97; edición de Place, IV,1031,403-404; de Gayangos, pág. 296a).

por mí no quedará assí como lo veréys (IV,94; edición de Place, IV,1136,16-17; de Gayangos, pág. 331a).

veréys por vuestros ojos (IV,121; edición de Place, IV,1195,141-142; de Gayangos, pág. 351a).

Así pues, la expresión «Agora lo veredes» no es imaginable en el *Amadís* de Montalvo, donde, las tres veces que aparece — desde luego, nunca en boca de Agrajes — siempre presenta la forma «veréys». Son las siguientes:

En el libro I Gandales defiende a una doncella de un caballero que la quería descabezar:

— De esso no sé nada — dixo Gandales —, mas ampararvosla he yo, porque mujeres no han de ser por esta vía castigadas, ahunque lo merezcan.

— Agora lo veréys —, dixo el cavallero. Y metiendo su espada en la vayna, tornóse a una arboleda donde estava una donzella muy hermosa, que le dio un escudo y una lança, y diose a correr contra Gandales, y Gandales a él, y firiéronse con las lanças en los escudos (I,2; edición de Place, I,29,271-284; de Gayangos, pág. 7a).

Más adelante, en el mismo libro I y en boca de Amadís (el Donzel del Mar):

Assí llegaron donde los quatro peones eran, y díxoles el Donzel del Mar:

— Malos traydores, ¿por qué fezistes mal a esta donzella?

— Por quanto ovimos miedo — dixeron ellos — de le vos dar derecho.

— Agora lo veréys — dixo él. Y metió mano a la espada y dexóse yr a ellos ... (I,6; edición de Place, I,58,45-55; de Gayangos, pág. 16a).

Y en el libro III Galaor y Norandel topan con unos caballeros del perverso Arcalaus:

Y los cavalleros de Arcalaus les dixeron, llegando a ellos, que dexassen las armas y fuessen a mandado del que en las andas venía.

— En el nombre de Dios — dixo Galaor — ¿y quién es esse que lo manda, o qué va a él que vamos armados o desarmados?

— No sabemos — dixeron ellos —, mas conviene que lo fagáys o levaremos vuestras cabeças.

— Ahún no estamos en tal punto — dixo Norandel — que lo fazer podáys.

— Agora lo veréys — dixeron ellos. Entonces se fueron ferir ... (III, 69; edición de Place, III,744,570-586; de Gayangos, pág. 211b).

Con un matiz menos tajante,[62] y sin la presencia del *lo*, una expresión similar se encuentra una vez en el *Amadís* de Montalvo, afortunadamente con correspondencia en los fragmentos de hacia 1420. Brontaxar acomete a Amadís, y leemos en Montalvo:

A esta hora llegava Brontaxar más cerca, y vio a Amadís cómo enderesçava contra él y cómo tenía el yelmo dorado ... , y tomó luego una lança muy gruessa, y dixo a una boz alta:

---

[62] No tengo en consideración pasajes como los siguientes: «Don cavallero, gran locura tomastes. — Agora lo veremos —, dixo Amadís» (I, 26; edición de Place, I, 225, 69-70; de Gayangos, pág. 65b), «Agora lo veré» (I, 37; edición de Place, I, 295, 131; de Gayangos, pág. 87a).

— Agora veréys fermoso golpe, si aquel del yelmo de oro me osare atender.

Y firió el cavallo de las espuelas, la lança so el sobaco, y fue contra él ... (III, 68; edición de Place, III,730,1049-1063).

Este pasaje, en uno de los fragmentos de hacia 1420, es así:

Aquella ora que lo vio Brontaxar endereçar contra sí, dexó colgar la espada de la cadena e tomó una lança muy buena de un escudero que le aguardava que le traýa; e dixo a una bos alta e espantable:

— Agora veredes fermoso golpe de la lança, si me osare atender aquel cavallero que se endereçó contra mí.

Estonce metió la lança so el sobaco e dexó correr el cavallo contra él ...[63]

Hace esto suponer que los pasajes del *Amadís* primitivo en que se leía «agora lo veredes» fueron modernizados por Montalvo en «agora lo veréys», lo que induce a concluir que la frase «Agora lo veredes, dixo Agrajes» está morfológicamente conforme con el *Amadís* de hacia 1420, pero no con la refundición que conocemos a partir del impreso de 1508. Y además, como nos consta que Montalvo abrevió el *Amadís* primitivo, del que a veces suprimió trechos y hasta episodios, no es arriesgado suponer que en alguna o algunas de las versiones medievales de la novela Agrajes decía

[63] *El primer manuscrito del Amadís de Gaula*, pág. 209; y Menéndez Pidal, Lapesa y Andrés, *Crestomatía del español medieval*, II, pág. 458.

una o varias veces: «Agora lo veredes». Queda claro, además, que esta expresión amenazadora la proferían los caballeros para atajar a un adversario insolente antes de acometerlo con las armas, como revelan las líneas que acabamos de ver referentes a Gandales, a Amadís, a los caballeros del perverso Arcalaus y a Brontaxar, frase y acción que Cervantes, tan buen conocedor de los libros de caballerías, repite exactamente en el episodio del vizcaíno del *Quijote*.

El nombre de Agrajes en el siglo xv se pronunciaba Agrajés, como atestigua sin ningún género de dudas la *Gaya Ciencia* de Pero Guillén de Segovia, pues lo recoge entre los consonantes en *–és*, como «jenovés», «cordovés», «burgalés», «panplonés», etc;[64] y es muy posible que esta acentuación oxítona fuera también la propia del *Amadís de Gaula* de Montalvo. Un cambio de acento similar también se dio en el nombre de Beltenebrós, pseudónimo de Amadís, así todavía en Gil Vicente,[65] pero que en escritores posteriores, como Guillén de Castro, suena ya Beltenebros.[66] Que en tiempos de Cervantes se pronunciaba Agrajes, paroxítono, lo atestigua la *Comedia del doctor Carlino*, escrita hacia 1613 por don Luis de Góngora, donde se lee esta quintilla:

[64] Edición citada de Tuulio y Casas Homs, pág. 118, líneas 16-26.

[65] Véase la nota de Dámaso Alonso en Gil Vicente, *Tragicomedia de don Duardos*, I, Madrid, 1942, págs. 198-199.

[66] Cfr. «Entre matas y entre enebros Buscaré una cueva oscura, Do llore mi desventura, Hecho el propio Beltenebros», comedia *Don Quijote de la Mancha*, edición de la Real Academia Española, *Obras de don Guillén de Castro y Bellvís*, II, Madrid, 1926, pág. 364b.

DOCTOR	¿Tomará traídos balaxes
	esta garduña señora?
GERARDO	Tomará, que estos ultrages
	no sepa Casilda.
DOCTOR(*aparte*)	Ahora
	lo veredes, dixo Agrages.[67]

Agrajes no es un mero comparsa en el *Amadís de Gaula*, pues le dedica muchas páginas ya desde su tercer capítulo y narra varios episodios en los que es el protagonista o uno de los caballeros principales en la acción. Conviene ahora recordar su participación en la novela, principalmente en sus tres primeros libros, que, en la refundición de Montalvo, reflejan lo que pudieron saber de Agrajes los lectores del *Amadís* primitivo.

Garinter, rey de la Pequeña Bretaña, tuvo un hijo, Galvanes Sin Tierra, y dos hijas: la primera, llamada la Dueña de la Guirnalda, se casó con Languines, rey de Escocia, y fueron padres de Agrajes y Mabilia; la segunda hija de Garinter, llamada Helisena, mujer del rey Perión de Gaula, tuvo de él a Amadís, Galaor y Melicia. Agrajes, pues, es primo hermano («cormano») de Amadís.

Recogido Amadís (el Donzel del Mar) en la corte de Languines, se cría con Agrajes, ambos de siete años e ignorándose por todos el parentesco que los une (I, cap. 3). Unos diez años después, y habiendo iniciado

[67] Versos 381-385, edición de R. Foulché-Delbosc, *Obras poéticas de don Luis de Góngora*, II, Nueva York, 1921, pág. 139.

sus empresas juveniles en la llamada guerra de Gaula, a favor del rey Perión, Amadís encuentra a una doncella a la que salva del perverso Galpano cortando a éste la cabeza. La doncella pretende llevársela a Agrajes, hijo del rey de Escocia, pero Amadís le dice que basta con que le lleve el yelmo del muerto y que lo salude de su parte (I,6). Días después llega esta doncella a la corte de Languines con el yelmo de Galpano, se lo entrega a Agrajes de parte de un caballero novel llamado el Donzel del Mar, cuyas hazañas relata, y Agrajes se propone unirse a él en la guerra de Gaula, para la que parte «con muy buena compaña» (I,7). La doncella encuentra a Amadís y le anuncia que Agrajes y los suyos están a punto de entrar en Gaula, y aquél acude y lo halla en sus tiendas de campaña. Embarcados en las naves de Agrajes llegan a Gaula, donde son muy bien recibidos por los reyes Perión y Helisena (I,8).

Se ha averiguado ya que el Donzel del Mar es Amadís, hijo del rey Perión, y por lo tanto primo hermano de Agrajes (I,10), el cual parte para visitar a su amada Olinda, hija del rey Vavayn de Noruega, «la qual él ganara por amiga al tiempo que él y su tío don Galvanes [Sin Tierra] fueron en aquel reyno» (I,10). Yendo hacia Noruega, Agrajes ve, en la orilla de la mar, una nave que está a punto de zozobrar en una gran tempestad, pero que logra tocar tierra y de ella desembarcan unas doncellas, entre las cuales se encuentra Olinda, con la que yace y pasa con ella seis días hasta que, calmada la mar, ella emprende viaje a la corte del rey Lisuarte, donde su padre la envía. Agrajes va a la corte de su padre, el rey Languines de Escocia; y con su tío, Galvanes Sin Tierra, deciden ir a ganar honra a la corte del rey Lisuarte. Así lo hacen, y ya en la Gran Bretaña, encuentran a una doncella que los encamina a la Peña de Galtares y les cuenta cierta victoria de Galaor sobre el gigante Albadán, y Agrajes revela que Galaor es su primo hermano. Esta doncella les dice también que va en busca de Galaor, porque debe socorrer a otra doncella que ha sido engañada por cierto enano, que está presa por el duque de Bristoya, que la hará quemar dentro de seis días. Agrajes se brinda a liberarla, y llegan a la morada del duque el día anterior a aquél en que la doncella ha de ser quemada. El duque obliga al enano a defender su acusación, y éste encomienda su causa a un caballero, sobrino suyo y hombre muy corpulento. Combaten él y Agrajes, y aquél, derribado, se rinde y otorga sacar a la doncella de la prisión; pero el duque de Bristoya, que sostiene que la batalla fue sobre la veracidad del enano y no sobre la culpa de la doncella, persiste en quemarla el día siguiente, y en vista de ello Galvanes lo desafía. Al día siguiente el duque lleva a la doncella a la hoguera, pero acuden Agrajes y Galvanes, desbaratan a sus hombres, aquél huye y salvan a la doncella, con quien se internan en la floresta. El duque los persigue, pero Agrajes y Galvanes lo ponen de nuevo en fuga. Agrajes, Galvanes y la doncella se refugian en la fortaleza del caballero Olivas, enemigo del duque de Bristoya y que pretende retarlo ante el rey Lisuarte porque le mató a un primo hermano suyo, y parten juntos para Vindilisora (I,16).

El rey Lisuarte, cazando en una floresta, encuentra a Agrajes, a Galvanes Sin Tierra y a Olivas, con la doncella salvada de la hoguera; y Agrajes es muy bien recibido en la corte por su hermana Mabilia y por su amada Olinda (I,23). El rey Lisuarte celebra cortes en Londres, adonde llega el duque de Bristoya, acudiendo al reto de Olivas; y se concierta batalla de tres contra tres: Olivas, el requeridor, con Galvanes Sin Tierra y Agrajes; y el duque de Bristoya, el requerido, con dos sobrinos suyos. En la larga batalla son muertos el duque y sus sobrinos, y Olivas queda gravemente herido (I,39).

Amadís se había comprometido a defender los derechos de la niña Briolanja, y parte para esta empresa acompañado de Galaor y de Agrajes, asistidos por el escudero Gandalín y el enano Ardián. En la floresta encuentran a una doncella que les desaconseja proseguir aquel camino, pues si lo hacen serán víctimas del mejor caballero del mundo. No le hacen caso, y a poco topan con un caballero que los invita a justar. Aceptan Agrajes y Galaor y son sucesivamente derribados por el desconocido, al que luego Amadís pone en fuga. La doncella, a cambio de un don de cada uno de ellos (Amadís, Galaor y Agrajes), se ofrece a guiarlos hasta encontrar al desconocido. Galaor parte en su busca con la doncella, y Amadís y Agrajes reemprenden su camino. Llegan al castillo de Torín, donde se encuentra la niña Briolanja, y aquí inserta Montalvo la famosa digresión sobre un cambio en el asunto de la novela propuesto por el infante don Alfonso de Portugal (I,40).

Amadís y Agrajes estuvieron cinco días en el castillo de Torín hasta que partieron con Briolanja y la dueña Grovenesa, y a los doce días llegaron a Sobradisa, reino del que la niña había sido desposeída; y acude el usurpador, el rey Aviseos, con sus dos hijos, y al día siguiente Amadís y Agrajes luchan contra los tres y los matan. Briolanja toma posesión del reino de Sobradisa, y Amadís y Agrajes yacen curándose de las heridas recibidas durante la batalla (I,42).

En el libro II de la novela, Amadís, Galaor, Florestán y Agrajes, volviendo del reino de Sobradisa, se introducen en la famosa Ínsola Firme a fin de probar sus aventuras. El primero en intentarlas es Agrajes, quien sólo consigue llegar hasta la puerta de la cámara defendida (II,44). Enterados más adelante Galaor, Florestán y Agrajes de la desesperación amorosa de Amadís, parten en su busca, y al separarse acuerdan reunirse los tres el día de San Juan en la corte de Lisuarte para contrastar el resultado de sus pesquisas (II,48). Recorren muchas tierras durante un año sin resultado alguno, y el día de San Juan se encuentran los tres en Londres. El rey Lisuarte les dice que, antes de partir en una nueva demanda de Amadís, conviene que permanezcan a su lado hasta que llegue el plazo de una batalla, de cien caballeros contra ciento, que por motivo de unas parias tiene concertada con el rey Cildadán de Yrlanda (II,53). Llegado el término, Agrajes lucha al lado de Beltenebrós (Amadís) en la gran batalla contra el rey Cildadán. Y cuando Amadís, desavenido con el rey Lisuarte, se retira a la Ínsola Firme, Agrajes es uno de sus muchos acompañantes y uno de los doce caballeros que van en defensa de Madasima (II,63), y luego regresan a la Ínsola Firme (II,64). Tiempo después Agrajes, Galvanes y Brián de Monjaste socorren a los tres caballeros de las Sierpes, que son Perión, Amadís y Florestán (II,68).

En el libro III Agrajes combate en la flota de Amadís y ataca la nave del romano Salustanquidio, en la que llevaba recluída a Olinda. La aborda, corta la cabeza al romano y salva a Olinda mientras Amadís hace lo mismo con Oriana, y ambas son llevadas a la Ínsola Firme (III,81). Oriana encomienda a Agrajes que ponga paz entre su padre el rey Lisuarte y Amadís (III,87).

En el libro IV se narra que, tiempo después, se concertaron y decidieron las bodas de Agrajes con Olinda, de Bruneo de Bonamar con Melicia, hermana de Amadís, de Grasandor con Mabilia, hermana de Agrajes, de don Quadragante con Grasinda y de Florestán con la reina Sardamira (IV,120). En la Ínsola Firme, y ante el rey Lisuarte y Amadís, hacen patente su firmeza amorosa aquellas damas superando la prueba del Arco de los Leales Amadores, y cesan los encantamientos de la ínsula (IV,125).

En gran número de trances y aventuras, pues, tuvo oportunidad Agrajes de pronunciar la frase amenazadora «Agora lo veredes», que Montalvo debió de suprimir fiel a su sistema abreviador, del que tenemos muy cierta constancia gracias a los trechos de su refundición que corresponden a fragmentos del *Amadís* de hacia 1420. Y es muy posible que suprimiera todo un episodio referente a nuestro personaje: aquel en que narraría la estancia de Agrajes y su tío Galvanes Sin Tierra en Noruega y el principio de los amores de aquél con Olinda, como hacen sospechar unas palabras antes transcritas (I,10; edición de Place, I,86,220-225).

El personaje novelesco Agrajes gozó de prestigio entre los lectores del *Amadís de Gaula*. Rodríguez Marín da cuenta de que cierto doctor Espinosa que compiló en Valladolid un refranero, anotó lo siguiente:

Agrajes Funez, vezino de Orense, *Agrajes de Taboada*, vezino de Taboada. Pensé yo que este nombre era inventado, porque nunca le oý sino quando le leý en *Amadís*.[68]

Para fechar esta nota sólo dispongo de la vaga indicación de Rodríguez Marín, quien dice que este doctor Espinosa «vivía en Valladolid en tiempo de los reyes don Carlos y doña Juana»,[69] o sea entre los años 1518 y 1555. Lo significativo es que, personas que bien pudieron nacer a principios del siglo XVI, fueron bautizadas con el nombre de Agrajes.

En nuestra indagación tiene importancia un trabajo de Juan Martínez Ruiz[70] dedicado al capitán Pedro de Ircio, que fue uno de los que en 1519 pasaron, con Hernán Cortés, de la isla de Cuba al continente e intervino en la conquista de Méjico. Bernal Díaz del Casti-

[68] En su edición del *Quijote* de Atlas, I, Madrid, 1947, pág. 266.

[69] Parece lógico que a este autor haya que identificarlo con el vallisoletano doctor Francisco de Espinosa, en cuyo *Refranero (1527-1547)*, publicado por Eleanor S. O'Kane, C.S.C. (en Anejos del «Boletín de la Real Academia Española», XVIII, Madrid, 1968) no encuentro nada referente a Agrajes ni a su frase proverbial.

[70] J. Martínez Ruiz, *Un «Agrajes sin obras» entre los conquistadores de Méjico*, «Iberida», Rio de Janeiro, II, 1959, págs. 103-130.

llo, en la *Verdadera historia de la conquista de la Nueva España*, lo presenta así:

Pasó un Pedro de Ircio: era ardid de corazón y era algo de mediana estatura, y hablaba mucho que haría y acontecería por su persona, y no era para nada; y llamábamosle que era otro Agrajes sin obras por su mucho hablar. Fue capitán en el real de Sandoval.[71]

Y más adelante repite y completa:

El capitán Pedro de Ircio era de mediana estatura y paticorto, y tenía el rostro alegre, e muy plático en demasía, que ansí acontecería, que siempre contaba cuentos de don Pedro Girón y del conde de Ureña, e era ardid, y a esta causa le llamábamos Agrajes sin obras. E sin hacer cosas que de contar sean, murió en Méjico.[72]

¿Por qué se adjudicó al capitán Pedro de Ircio el apodo o sobrenombre de Agrajes sin obras? Martínez Ruiz, tras hacer una semblanza del valeroso primo de Amadís, concluye: «Tal es la figura de Agrajes del *Amadís*; en cuanto a Agrajes sin obras del cronista Bernal Díaz del Castillo, vemos ser la antítesis del héroe caballeresco, pues su continuo hablar y proyectar no se traduce en nada práctico».[73] Y Marcel Bataillon, al reemprender este concreto tema, matiza más: «Il semble bien que, dans les deux passages, Bernal Díaz préci-

[71] Tomo el texto de la edición de C. Pereyra, *Historia verdadera de la conquista de la Nueva España*, II, Madrid, 1933, pág. 518.

[72] Ibid., pág. 546.

[73] Un «*Agrajes sin obras*», pág. 119.

se le mode habituel du "mucho hablar" de Pedro de Ircio: "il parlait pour dire ce qu'il ferait et ce qu'il advien-
drait de sa personne", "il abusait des propos annonçant
ce qui allait se passer". Nous sommes amenés à com-
pléter ces expressions elliptiques en suppléant: "y nunca respondían las *obras* a las *palabras*", et à en rappro-
cher le modisme: "Ahora lo veredes, dijo Agrajes"».[74]

Todo ello parece bien encaminado. Pero hay que
admitir que los que, allá en las Indias, pusieron a Pedro
de Ircio este mote, lo hicieron muy al estilo del *Amadís
de Gaula*, donde en el arca en que es abandonado el héroe principal a poco de nacer se puso entre los pañales
una inscripción con las palabras: «Este es Amadís Sin
Tiempo, hijo de Rey» (I,1; edición de Place, I,23,402-
403), y donde el tío de nuestro Agrajes es llamado muchas veces Galvanes Sin Tierra. No me atrevo ni tan sólo a enunciar la posibilidad de que en el *Amadís* primitivo nuestro personaje fuera denominado Agrajes Sin
Obras;[75] y pienso que esta denominación tan amadisíaca debieron de inventarla los compañeros de armas de Pedro de Ircio para zaherir su palabrería no
acompañada de acción, y tal vez (¿por qué no?) porque
el paticorto capitán acostumbrara a usar el modismo
«Agora lo veredes».

Pero no acaba de convencer la explicación de Ba-

[74] M. Bataillon, *Agrajes sin obras*, «Studi Ispanici», Pisa, I, 1962,
pág. 31.

[75] Lo puede hacer imaginar el que Bernal Díaz del Castillo, en
el primero de los pasajes citados, diga que Pedro de Ircio era *«otro
Agrajes sin obras»*.

taillon cuando supone que la forma primitiva de la frase era «Agora lo veredes, dijo Agrajes con sus pajes», como la registra el maestro Gonzalo de Correas en su *Vocabulario de refranes* (1627);[76] y llega a la siguiente conclusión: «L'*apodo* donné à Pedro de Ircio par ses camarades attesterait alors une autre chose que la popularité de l'*Amadís* parmi les Conquistadors de l'Amérique (popularité d'ailleurs attestée surabondamment): il constituerait un indice que notre modisme, qui prête gratuitement au fils du roi d'Ecosse [*Agrajes*] une parole présomptueuse pas toujours suivie d'effet, était déjà en circulation avant 1525».[77] La versión que Gonzalo de Correas da a este modismo, y al que otorga una forma rimada, cosa tan común en refranes, no puede ser antigua, pues ya sabemos que en el siglo xv el nombre del personaje novelesco era oxítono, Agrajés, y que la forma paroxítona Agrajes se atestigua a partir de principios del siglo xvii, cuando a Beltenebrós se le llamó Beltenebros.

Supongo, en resumen y conclusión, que en el *Amadís* primitivo Agrajes pronunciaba una o varias veces la frase amenazadora «Agora lo veredes», suprimida por Montalvo, quien no la suprimió, y la modernizó en «Agora lo veréys», en boca del adversario de Gandales

[76] Edición de M. Mir, *Vocabulario de refranes y frases proverbiales...*, Madrid, 1924, pág. 14b.

[77] *Agrajes sin obras*, pág. 35.

(I,2; edición de Place, I,29,276), en boca de Amadís (I,6; edición de Place, I,58,53) ni en boca de los caballeros del perverso Arcalaus (III,69; edición de Place, III,744,584). Por razones diversas el «Agora lo veredes» dicho por Agrajes llamó la atención de los lectores del *Amadís* primitivo y se repitió tanto que se convirtió en una expresión popular, por lo general utilizada irónicamente. Por otra parte, la divulgación de la frase «Agora lo veredes, dixo Agrajes» constituye un argumento más a favor de la existencia y de la gran popularidad del *Amadís* anterior a la refundición de Garci Rodríguez de Montalvo.

II
LAS ARMAS EN EL *AMADÍS DE GAULA*

En las páginas que siguen se estudian y analizan todas las referencias a armas personales que aparecen en el *Amadís de Gaula*, tanto las ofensivas (lanza, maza, hacha y espada) como las defensivas (yelmo, capellina, loriga y arnés, corazas y fojas, sobrevista y sobreseñales, gambax y escudo).

Este examen, reducido a una terminología propia de una novela en la que la acción militar tiene una función primordial, puede tener cierto interés en lo que afecta a un léxico que fue claro para sus primeros lectores, familiarizados con las armaduras y las armas ofensivas de sus contemporáneos, pero que hoy es enigmático para muchos, e incluso pone en serios aprietos al que pretende anotar con exactitud el *Amadís* o explicarlo en clase. Puedo afirmar que, salvo algunos pocos casos en que la prudencia me ha obligado a dejar en suspenso toda conclusión, en este trabajo se logra explicar cómo eran tanto las armas ofensivas que manejan los numerosos caballeros que aparecen en la gran novela como las defensivas con las que se protegen de sus adversarios. Pretendo con ello, además, contribuir al conocimiento de las armas y armaduras castellanas en unos siglos en que tan escasas son las piezas auténticas conservadas en museos, iglesias u otros depósitos.

La primera conclusión literaria que se extrae de este estudio no constituye ninguna sorpresa: las armas ofensivas y defensivas que aparecen en el *Amadís* son de hecho las mismas que figuran en los grandes romans franceses de la primera mitad del siglo XIII, sobre todo el *Lancelot* y el *Roman de Tristan*, ambos en sus extensísimas versiones en prosa; de suerte que invenciones e innovaciones introducidas en las armas y en las armaduras con posterioridad a la aparición de aquellos romans, y que ya estaban divulgadas en España cuando se redactaron los fragmentos conservados del primitivo *Amadís* y la refundición de Montalvo, no emergen nunca en ninguno de los cuatro libros de la novela castellana. En ésta las lanzas se manejan como en el siglo XIII y gran parte del XIV, sin la menor referencia a la importante invención del ristre que entre nosotros ya se conocía en 1386; el yelmo que llevan los caballeros del *Amadís* es el Tophelm introducido en Castilla hacia 1230, pero no aparece ni la más leve alusión al bacinete, tan usado desde principios del XIV; ni al elmete o almete, divulgado en España desde 1415; ni a la celada, conocida desde 1425. Hay un verdadero empeño por parte de Montalvo, en el cuarto libro, en mantener un cierto arcaísmo armero que le impuso el viejo texto que refundía y al mismo tiempo evitar toda referencia a armaduras y técnicas del manejo de las armas ofensivas inspiradas en lo que él conocía y podía observar a diario en su ambiente.

Me he esforzado en adoptar una obligada neutralidad en el complicado problema de las versiones primitivas del *Amadís de Gaula* y la labor refundidora y continuadora de Montalvo, aspecto decisivo últimamente tan bien estudiado en el libro de Cacho Blecua.[1] Sólo tengo en cuenta los pocos datos que sobre aspectos de armamento se pueden extraer de los fragmentos del *Amadís* primitivo de hacia 1420,[2] y los más abundantes que se encuentran en el texto de la edición príncipe de la novela, refundida y continuada por Garci Rodríguez de Montalvo y publicada en Zaragoza en 1508, según la edición de Edwin B. Place.[3]

No obstante, recojo algunos aspectos que tal vez puedan tener algún significado para el problema de los textos primitivos del *Amadís* y la refundición y continuación de Montalvo. En el libro primero, y no en los siguientes, se mencionan las *corazas*, probablemente sinónimo de las que en toda la novela se llaman *fojas*; y se cita el *tiracol* del escudo, término que parece que Montalvo confundía. Las *mazas* sólo aparecen en los libros primero y segundo, y las *hachas* en los tres primeros; y en el tercero figuran lanzas con pendones.

La narración pormenorizada de las batallas es muy frecuente en el libro primero (56 batallas), mengua mucho en el segundo (15 batallas) y en el tercero (19 bata-

[1] J. M. Cacho Blecua, *Amadís: heroísmo mítico cortesano*, Cupsa Editorial-Universidad de Zaragoza, Madrid, 1979, principalmente págs. 347-415.

[2] Véase la bibliografía que va al final de este libro. Una cómoda edición de los fragmentos mejor conservados del *Amadís* primitivo en R. Menéndez Pidal, R. Lapesa y M.ª S. de Andrés, *Crestomatía del español medieval*, II, Madrid, 1966, págs. 457-459.

[3] Las discrepancias entre los textos que cito y la edición de Place son enmiendas mías introducidas frente a fotocopias de la edición de Zaragoza de 1508.

llas), para decrecer acusadamente en el cuarto (9 batallas), en el cual estas acciones se describen sin detallismo armero. La defensa principal del cuerpo del caballero es el *arnés* en los capítulos IV a LIV del *Amadís*, y corresponde al *haubert cloué*; y desde el capítulo XXII convive con la *loriga*, que persiste hasta el final de la novela y se identifica con la *loriga terliz*, o sea de mallas anulares.

La heráldica de los escudos del *Amadís* está directamente inspirada en la heráldica novelesca que, desde Chrétien de Troyes, los autores franceses de *romans* caballerescos introdujeron en sus obras, heráldica ficticia que tuvo secular descendencia; y en este aspecto no deja de llamar la atención que el escudo de don Quadragante, tal como aparece en el libro segundo del *Amadís*, corresponda a la reducción de las flores de lis a tres que adoptó el rey de Francia desde 1376; y que el de don Bruneo de Bonamar esté inspirado en el que se hizo confeccionar Lancelot en l'Ille de Joie y que está descrito en el *Lancelot* del siglo XIII.

Como ocurre en el *roman* francés el gigante, o jayán, del *Amadís* lleva armas distintas del caballero de estatura normal. Los gigantes defienden su cuerpo con *fojas* y *capellinas* (como los peones y villanos), se protegen con escudos de acero muy grandes y con «arco o cerco», y atacan con mazas y hachas. Los autores del *Amadís*, como luego ocurrirá en el *Palmerín de Inglaterra*, son muy fieles a este especial indumento del gigante o arnés del jayán.

En conclusión: las armas ofensivas y defensivas que figuran en los cuatro libros del *Amadís de Gaula* son virtualmente las mismas que aparecen en los romans franceses del siglo XIII; y ello incluso en las partes más refundidas y añadidas por Garci Rodríguez de Montalvo, «regidor de la noble villa de Medina del Campo», que trabajaba muy a finales del siglo XV. Si es él, como parece, el caballero que figura en el Desprendimiento de la Cruz del toledano Pedro Machuca, conservado en el Prado, pintura que «mandó fazer doña Inés del Castillo, muger de García Rodríguez de Montalvo, regidor d'esta villa», es notable el contraste que ofrecen las armaduras de los caballeros del *Amadís* con la que realmente vestía su refundidor y continuador: peto con ristre y espaldar de metal rígido, gorjal, guardabrazo con dobladura, brazales, manoplas y faldaje, todo de la misma materia, y almete con visera móvil, como es normal en un caballero de finales del XV o principios del XVI.[4]

Armas ofensivas

La lanza

La lanza desempeña un papel primordial en el *Amadís de Gaula* como arma ofensiva del caballero; y es utilizada cuando éste va montado en su caballo y acomete al

[4] Véase M. de Riquer, *Caballeros andantes españoles*, «Colección Austral», Madrid, 1967, págs. 49-51. Reproducción de la pintura de Machuca en Riquer-Valverde, *Historia de la literatura universal*, III, Barcelona, 1984, pág. 483.

adversario, con gran frecuencia se quiebra en el encuentro y la lucha sigue con la espada. Ésta, de todos modos, es el arma principal del caballero, y su superioridad en eficacia y rango sobre la lanza queda manifestada en las palabras que dirige Amadís a un adversario desarzonado que, tras un ataque con lanzas, vacila antes de empuñar la espada:

II. — Si mejor no mantenéys amor de la espada que de la lança, mal empleado es en vós el buen galardón que os ha dado (pág. 383, 397-400).

Esto mismo se sobreentiende en un pasaje del *Lancelot* cuando al protagonista se le quiebra la lanza en un primer encuentro y exclama:

— Maleois soit qui onques fist glaive [*lanza*] quant il nel fist tele que l'en nel peust pechoier. Lors met le main a l'espee … (Sommer, III, pág. 149, 9-10).

El *Amadís de Gaula*, como el *Lancelot* y el *Roman de Tristan*, está lleno de narraciones de combates caballerescos, unas breves y esquemáticas, otras lentas y pormenorizadas, sobre todo en los tres primeros libros, y en estas reiteradas descripciones la lanza no deja de figurar y de tener capital importancia. Estos pasajes describen batallas singulares, de un caballero contra otro, o ya menos sencillas de un caballero contra dos, tres o cinco adversarios, o de dos contra dos y finalmente auténticas batallas generales entre dos ejércitos. Es disculpable que al lector moderno cansen estas constantes relaciones porque, como suele desconocer el manejo de las armas medievales, todas estas batallas le parecen iguales, aunque de hecho no lo son. Que la lanza dé en el yelmo, en el escudo o en la loriga del adversario nos puede parecer indiferente, pero no lo era para los lectores contemporáneos, sobre todo los del primitivo *Amadís*, que habían presenciado justas y torneos con el interés o la competencia técnica del actual entendido en deporte, o que, en algunos casos excepcionales, habían participado en combates, en guerras o en armas corteses. Las dilatadas descripciones de combates que se encuentran en los libros de caballerías son el equivalente de las largas peleas a puñetazos que se repiten en secuencias de una película norteamericana de ambiente tabernario o de bajos fondos, y que el espectador admite con naturalidad y hasta con agrado.

Para subrayar la función de la lanza en el *Amadís* escojamos los esquemas más sencillos de batalla singular. Reducido a sus líneas generales, el más simple es aquel que ofrece cuatro momentos: 1º, los caballeros se acometen a caballo con las lanzas y las quiebran; 2º, debido a esta acometida los dos adversarios se desarzonan mutuamente y caen ambos del caballo al suelo; 3º, los dos echan mano a la espada y así siguen la pelea, y 4º, uno de ellos se impone sobre su adversario. El cuarto momento lo consideraremos cuando tratemos de la manzana de la espada y de los lazos del yelmo; y veamos ahora los tres primeros:

I. Se fueron acometer a gran correr de los cavallos, y feriéronse bravamente de las lanças, que luego fueron quebradas, y juntados de los cuerpos de los cavallos y de los escudos, cayeron ellos a sendas partes y cada uno se levantó bravamente; y con gran saña que se havían, pusieron mano a sus espadas y acometiéronse a pie, dándose tan grandes y duros golpes ... (pág. 146, 359-370).

Escogido al azar entre los innumerables pasajes similares que se encuentran en los romans franceses del siglo XIII, comparemos el del *Amadís* con éste del *Lancelot*:

Si s'entrevienent si tost comme li cheval peuent plus aler, et s'entrefierent si durement sor les escus que les glaives [*lanzas*] volent em pieches, et quant eles sont pechoies si s'entrehurtent si durement des cors et des vis que tout li oeil lor estinchelent, et tous li plus fors se desconroie, si s'entreportent tout estordi en mi le camp et jurent tant a terre ... Premierement sali sus mesire Gauvain, et met le main a l'espee, et court sus a Segurades ... et quant il ot pooir de relever, si sailli sus et mist le main a l'espee ... (Sommer, III, págs. 292, 38 y 293, 10).

Con harta frecuencia ocurre que en el encuentro de las lanzas sólo es desarzonado y derribado un caballero, y el otro sigue montado, con las enormes ventajas de su posición superior y de no haber sufrido aturdimiento o magulladuras al caer al suelo, y por lo tanto la victoria le es fácil:

I. Estonces fueron al más correr de sus cavallos el uno contra el otro y heriéndose en los escudos, y el cavallero falsó el escudo a Amadís, mas detóvose en el arnés y la lança quebró; y Amadís lo encontró tan duramente que lo lançó por cima de las ancas del cavallo. Y el cavallero, que era muy valiente, tiró por las riendas, assí que las quebró y llevólas en las manos y dio de pescueço y de espaldas en el suelo, y fue tan maltratado que no supo de sí ni de otra parte. Amadís dició [*bajó, desmontó*] a él y quitóle el yelmo de la cabeça y... le dixo: — Muerto soys, si vos no otorgáys por preso (pág. 161, 22-43).

Pero cuando un caballero ha caído derribado y todavía puede defenderse en el suelo con la espada, la situación ventajosa de su adversario, montado y con la lanza íntegra, es considerada poco cortés si en este momento lo ataca. Lo digno era que, cuando un caballero caía al suelo, su adversario desmontara del caballo para situarse en posición de igualdad. Véase este brevísimo combate del *Lancelot*:

Lors monte Hector sor son cheval, et a prins une glaive grosse et roide; si resont ensemble venu a jouste entrax deus. Et Hectors li reporta aussi legieremment a terre comme il avoit fait devant; et lors descent Hectors, car honte li estoit de cheli requerre a cheval qui estoit a pie (Sommer, III, pág. 325, 28-31).

En la misma novela, y derribado el adversario, Lancelot «descent a terre, kar nel velt mie a cheval requerre, por ce qu'il est a pié» (Micha, II, pág. 114); y en *La mort Artu*:

Quant Lancelos le voit a pié, il li est avis que, s'il le requeroit a cheval, qu'il en seroit blasmez (Frappier, pág. 105).

Esta actitud cortés es llamada en el libro tercero del *Amadís* «la costumbre de la Gran Bretaña». En la Gran

Bretaña luchan Gradamor, caballero romano, y don Florestán, medio hermano de Amadís, y éste de un golpe de lanza desarzona a aquél. Gradamor, de pie en el suelo, al verse conminado por su adversario montado le dice:

III. — Pésame de la prueva de las lanças, mas no trayo esta espada sino para me vengar; y esto os haré yo luego ver si la costumbre d'esta tierra osaredes mantener (pág. 849, 469-473).

Don Florestán le pregunta a qué costumbre se refiere, y Gradamor responde:

III. — Que me deys mi cavallo ... o descendid del vuestro y a pie nos ensayaremos a las spadas, y será el juego comunal, y el que peor lo jugare quede sin mesura y mercé (pág. 849, 478-482).

Y efectivamente la batalla sigue a pie y con las espadas.

En este sentido grande es la cortesía de Amadís en una de sus primeras aventuras:

I. Y fue para el cavallero que le dava bozes que se guardasse, y el cavallero lo firió en el escudo tan bravamente que la lança fue en pieças por el ayre. Mas el Donzel del Mar, que lo acertó en lleno, dio con él y con el cavallo en tierra, y el cavallo se levantó y quiso fuyr, mas el Donzel del Mar lo tomó y diógelo diziendo: — Señor cavallero, tomad vuestro cavallo y no queráys saber de ninguno nada contra su voluntad (pág. 69, 193-205).

Las batallas pormenorizadas entre caballeros, generalmente siguiendo el esquema apuntado (lanzas a caballo y espadas a pie), se distribuyen muy irregularmente en el *Amadís de Gaula*. En el libro primero cuento 56, lo que da un promedio de una batalla por cada seis páginas;[1] en el segundo 15, lo que da una por cada quince páginas;[2] en el tercero 19, lo que da una por cada trece páginas,[3] y en el cuarto, descontando la gran batalla entre Perión y Lisuarte (págs. 1097-1110), sólo 9, lo que da una cada cuarenta y tres páginas.[4] En este libro cuarto las descripciones suelen ser rápidas y sin detallismo por lo que afecta al manejo de las armas y a veces se refieren con términos harto vagos: «tornóse abivar la batalla» (pág. 1111, 348-349), «y encontróle y falsóle todas sus armas y dio con él muerto en tierra» (pág. 1147, 150-152), etc., notas que contrastan con el detallismo de las descripciones del libro primero.

La *lança*, o lanza, llamada en francés medieval *lance, glaive* y *espié*, se compone esencialmente de tres partes que en el *Amadís de Gaula* reciben los nombres de *asta* o *fuste*, *cuento* y *fierro* o *cuchilla*. Bastan unos ejem-

---

[1] Páginas 29, 47, 52, 58, 59a, 59b, 69a, 69b, 73, 74, 77, 79, 90a, 90b, 99, 103, 112, 117, 137, 138, 146, 150, 156, 158, 161, 162, 170, 178, 179, 189, 190, 199, 216, 220, 221, 224, 228, 229, 233, 239, 276, 282, 287, 290, 291, 295, 299, 306, 315, 316, 321, 325, 339, 347, 349 y 350, en un total de 242 páginas.

[2] Páginas 383, 406a, 406b, 408, 453, 457, 458, 461, 481, 490, 491, 493, 532, 537 y 582, en un total de 229 páginas.

[3] Páginas 680, 707, 727, 728, 730, 731, 732, 764, 768, 784, 837, 847, 848, 849, 884, 888, 892, 902 y 914, en un total de 260 páginas.

[4] Páginas 1031, 1146, 1156, 1157, 1204, 1206, 1208, 1259 y 1277, en un total de 387 páginas.

plos para documentar tan normal y comprensible terminología. Hay sinonimia entre *asta* y *fuste*:

I. ... la firió de la asta de la lança (pág. 213, 94-95).

III. Gradamor le passó el escudo y metió por él bien un palmo de la hasta de la lança, y allí quebró (pág. 849, 430-433).

I. ... y al uno d'ellos que la lança traýa... travólo d'ella tan rezio, que ge la llevó de las manos, y fue a dar con ella al uno d'ellos tal golpe en la garganta, que el fierro y el fuste salió al pescueço (pág. 191, 299-306).

I. ... firió a Grumen ... de tal guisa qu'el fierro y el fuste de la lança le salió de la otra parte, y cayó luego muerto y fue la lança quebrada (pág. 282, 259-264).

La contera es llamada *cuento*:

I. ... y metió el cuento de la lança entre los braços de la donzella y hízola despertar (pág. 226, 147-149).

III. Y llegóse a los escudos y puso el cuento de la lança en el primero (pág. 846, 188-190).

El extremo opuesto, aquel que hiere, también ofrece sinonimia entre *fierro* y *cuchilla*:

I. Y el Donzel del Mar lo firió con su lança en el escudo, tan fuertemente que ninguna arma que traxiesse le aprovechó. Y passóle el fierro a las espaldas, y dio con él muerto en tierra; y sacando la lança d'él, se fue a otro cavallero (pág. 58, 94-101).

II.   ... tropeçó y cayó en el suelo, de manera que el fierro de la lança le salió por las espaldas, y luego murió (pág. 481, 533-536).

III.   ... y tomando una lança más gruessa que otra, con un fierro grande y agudo ... (pág. 884, 201-203).

IV.   ... tomó una lança en la mano, gruessa y de un hierro grande y limpio (pág. 1097, 146-148).

II.   ... y Beltenebrós ovo el pico de la teta fendido de la cuchilla de la lança (pág. 453, 239-241).

III.   ... la cuchilla de la lança le fizo una ferida de que mucho se sintió (pág. 768, 916-918).

III.   ... la cuchilla de la lança le fizo una gran llaga en la garganta (pág. 784, 165-167).

Toda esta terminología es la normal en los textos castellanos de la época. Así *asta* y *fuste* alternan en el *Libro de Alexandre*; *cuento* aparece en la *Gran conquista de Ultramar*, y *fierro* y *cuchilla*, o *cuchiella*, alternan en el *Poema de Fernán González* y en la *Gran conquista*.[5] Nomenclatura paralela se encuentra en francés medieval, donde se registran *haste* y *fust*, la contera es llamada *arestuel*, y alternan *fer* y *coutel*.[6]

El asta de la lanza puede ir pintada, por lo menos

[5] Véase Giese, *Waffen*, págs. 9, 10 y 13.

[6] Véase Bach, *Angriffswaffen*, págs. 29-31, y Sternberg, *Angriffswaffen*, págs. 25-29.

esto ocurre con aquella que trae la doncella extranjera:

I. ... traýa ... una lança con un hierro muy hermoso y la asta pintada (pág. 275, 228-231).

Ello no es raro, y en *Li chevaliers de la charrete* de Chrétien de Troyes un caballero

> Quant armez fu, sanz demorance
> monte et prant l'escu et la lance
> qui estoit granz et roide et peinte ...[7]

Y en el libro tercero del *Amadís* aparecen las lanzas con pendones:

III. Y tomó en su mano una lança con un pendón rico y hermoso (pág. 851, 581-582).

III. ... tres lanças muy fuertes con pendones ricos de diversas colores (pág. 882, 105-107).

III. ... tomó una lança con un pendón muy fermoso (pág. 886, 359-360).

III. ... tomó una lança con un pendón verde (pág. 892, 44-45).

Las lanzas con pendones son corrientes, y basta recordar versos muy conocidos del *Cantar del Cid*.

[7] Versos 2391-2393; edición Roques, pág. 73.

La lanza también podía ir adornada con una trencilla o galón llamada *trena*:

I. ... vio venir una donzella en su palafrén y traýa una lança con su trena (pág. 49, 5-7).

Lo que se puede comparar con este texto del *Cuento de Otas*:

... sus compañeros, que non avía tal que non troxiese pendón en lança o trenças.[8]

Por lo que se refiere al manejo de la lanza, el *Amadís de Gaula* refleja aquel momento en que quedó reducido a dos tiempos. Cuando se advierte que el encuentro es inminente, el caballero toma la lanza de su escudero, o deja de llevarla él en postura cómoda, y la pone en posición vertical (*lance levée*); aguija el caballo contra el adversario y así que se aproxima a éste la pone en posición horizontal (*lance couchée*) para herirle. No encuentro en el *Amadís* referencias al primer tiempo, sin duda expresado en el *Cantar del Cid* en el verso 726: «Veríades tantas lanças premer e alçar», y que tantas veces aparece en textos caballerescos franceses de los siglos XIII y XIV con la expresión «lance levée».[9] El segundo movimiento es muy frecuente en el *Amadís*, donde es expresado de un modo general («baxar las lanças», «lança baxada») o bien concretando la forma con que

[8] Texto citado en Corominas, *DCELC*, IV, pág. 563.
[9] Véase Buttin, *La lance*, pág. 91.

el caballero sujeta el arma: «a sobremano» y «so el sobaco» o «so el braço».

La lanza horizontal, posición en la que sólo se
podía mantener unos segundos antes del encuentro
debido al peso del arma y a la velocidad que en aquel
momento se hacía galopar al caballo, es una lanza «baja», en oposición a la lanza «alta» del movimiento anterior. Veamos ejemplos en que tanto se emplea la forma
adverbial como la verbal:

I.   ... y tomando sus armas fue contra ellos, que trayán las lanças
baxas y al más correr de los cavallos ... (pág. 69, 245-248).

I.   Galaor fue a él con su lança baxa al más correr de su cavallo, y
encontróle en los pechos de tal fuerça ... (pág. 99, 31-35).

I.   ... y fue para él, su lança baxa, y Amadís assímesmo (pág. 170,
659-660).

I.   Y baxando las lanças se hirieron de tal guisa que fueron quebradas (pág. 225, 71-73).

I.   Y cubriéndose de su escudo, baxó su lança y dexóse a ellos correr (pág. 228, 321-323).

I.   Entonces fue a él con su lança baxada y el cavallo al más correr
(pág. 287, 39-40).

III.   ... al más correr de su cavallo, muy bien cubierto de su escudo
y la lança baxó por lo ferir ... (pág. 849, 424-426).

III.   ... movieron uno contra otro a gran correr de los cavallos, las
lanças baxas y cubiertos de sus escudos (pág. 884, 232-235).

Esta expresión tiene vieja tradición en castellano, y
aparece también en el *Cantar del Cid*:

> Enbraçan los escudos delant los coraçones,
> abaxan las lanças abueltas de los pendones,
> enclinaron las caras de suso de los arzones,
> ívanlos ferir de fuertes coraçones.[10]

En francés esta expresión es muy frecuente. En el
Erec y en el *Cligés* de Chrétien de Troyes:

> A tant es vos lance beissiee
> Guivret, qui l'ot de loing veü.[11]

> Et cil de la les lances beissent,
> ses vont isnelemant ferir.[12]

En la Continuación Gauvain, o Primera Continuación de *Li contes del graal*:

> Cadors premiers a lui se lance
> qui tint en sa main une lance.
> Et cil li vint lance baissie
> qu'il avoit grosse et aguisie.

---

[10] Versos 715-718. Para otros ejemplos de «abaxar» o «baxar» la
lanza véase Giese, *Waffen*, págs. 25-26.

[11] Versos 4960-4961; edición Roques, pág. 151.

[12] Versos 1308-1309; edición Micha, pág. 40.

> Et bien vos di qu'il s'entrevienent
> et si durement s'entrefierent
> de lor lances a l'assambler.[13]

En el *Roman de Tristan*:

Quant ce vint aus lances beisier, adonc poïssiez veoir chevaliers verser et trebucher espessement (Curtis, I, pág. 162).

Quant Perceval voit et cognoist que a jouster l'estuet, il besse le glaive et hurte cheval des esperons et le fiert si angoiseusement ... (Blanchard, pág. 210).

Llevar la lanza «a sobremano» significa, sin duda alguna, que en el momento del ataque se mantiene el arma en posición horizontal bien sujeta por el puño y descansando sobre el antebrazo, que en este momento forma un ángulo recto con el brazo. Ya aparece, sin paralelismo en la refundición de Montalvo, en uno de los fragmentos del *Amadís* primitivo:

... estava en el cavallo et tornara ya su lança de sobremano et púsole el fierro de la lança en el rrostro ... (pág. 20).

En el *Amadís* refundido es muy corriente:

I.   Y dexóse correr a él, la lança a sobremano, y diole un tal golpe en el escudo que ge lo falsó (pág. 239, 200-202).

---

[13] Versos 5741-5747; edición Roach, I, pág. 156.

I. ... y tornó a él tomando la lança a sobremano (pág. 288, 49-50).

III. Y don Florestán tomó la lança a sobremano, y vino a él muy sañudo y ... le dio un tal golpe (pág. 848, 372-376).

IV. ... y fue para don Quadragante con la lança a sobremano y diole una gran lançada en el escudo que ge lo falsó (pág. 1101, 443-446).

IV. El otro cavallero fue por dar una lançada a sobremano a Landín (pág. 1278, 913-915).

Esta forma de empuñar la lanza, que tenía sin duda la ventaja de apuntar muy bien al objetivo, es muy usada por los caballeros de la *Gran conquista de Ultramar*:

Buena lança de fresno traýa, e el hierro muy tajante; e tomóla a sobremano, e fue a ferir a uno de los cinco almirantes, que llamavan Bondar, e diole tan gran herida, que le falsó el braço de amas partes (Cooper, I, pág. 53).

... el uno mató Golfer de las Torres con una lança a sobremano, con que le dio por medio del rostro (Cooper, I, pág. 620).

La posición de lanza «so el sobaco», o «so el braço», es muy frecuente y aparece en ambas formas en el *Cavallero Zifar*.[14] Ya la encontramos en los fragmentos del *Amadís* primitivo:

Estonce metió la lança so el sobaco et dexó correr el cavallo contra él (pág. 17),

[14] Véase Giese, *Waffen*, pág. 26.

que corresponde, en la refundición de Montalvo, a:

III. Y firió el cavallo de las espuelas, la lança so el sobaco, y fue contra él (pág. 730, 1062-1064).

Esta expresión es muy corriente en las novelas francesas, y limitémonos a tres ejemplos del *Lancelot*:

Lancelos ... si met le glaive sos l'aissele et fiert le cheval des esperons qui tost le porte ... (Micha, I, pág. 137).

Lors s'entreloignent anbedui, si metent les lances desos les aiseles et hurtent les escus des cotes et donent as chevals des esperons, si s'entrefierent grandismes cols sor les escus (Micha, II, pág. 8).

Lors s'esloigne et prent l'escu par les enarmes, puis met le lanche sous l'aissele et laisse courre e chelui (Sommer, III, pág. 141, 21-23).

En el *Amadís* aparece la expresión sinónima «lança so el braço»:

II. Beltenebrós apretó la lança so el braço y al más correr de su cavallo fue contra él (pág. 461, 807-809).

III. Y apretó la lança so el braço y aguijó el cavallo contra Madarque (pág. 680, 187-189).

También se encuentra en otros textos castellanos, como la *Primera crónica general*, la *Gran conquista de Ultramar* y el *Cavallero Zifar*.[15]

---

[15] Véase Giese, *Waffen*, pág. 26.

Por último, en el *Amadís de Gaula* la lanza aparece una vez, en una batalla naval, como arma arroja-
diza:

III.   Luego fueron juntas las naves. Grande era allí el ferir de saetas
y piedras y lanças de la una y de la otra parte, que no semejava sino
que lluvía (pág. 913, 206-210).

Esto también se da en cantares de gesta y romans
franceses.[16]

Una de las mayores sorpresas del lector atento del
Amadís es que en toda la novela no hay la menor mención ni la más leve referencia al ristre de la lanza. Como es sabido, en los dos últimos decenios del siglo XIV,
dado el aumento del peso de la lanza, se ideó un soporte consistente en una abrazadera o gancho metálico, fi-
jado en el pectoral derecho de la pieza protectora del
torso, y que a voluntad del caballero y con un fácil movimiento del puño encajaba en una especie de hendidura o arandela de la lanza, arma que de este modo
quedaba perfectamente sujeta pero al mismo tiempo
libre para ser movida y manejada con eficacia. A la pieza fija en el pecho se le llamó en Francia *arrest de cuirasse* y a la arandela de la lanza, que solía ser de cuero,
arrest de lance; y posteriormente en Castilla la primera
recibió el nombre de *riestre* y *ristre*, y la segunda el de *go-
cete de lanza*. El *arrest de cuirasse*, o ristre, se documenta
en lápidas sepulcrales o en esculturas desde 1386 y en

[16] Cfr. Sternberg, *Angriffswaffen*, págs. 36-37, y Bach, *Angriffswaffen*, págs. 39-40.

textos franceses desde 1390.[17] Aunque la invención parece ser francesa o por lo menos debida a las compañías que luchaban en Francia, la innovación llegó pronto a España, y Francesc Eiximenis, en unas páginas redactadas en 1385 ó 1386, ya mencionaba, como cosa conocida, el plastrón metálico que cubre el pecho, al que llama «peça de ferro», y el «rest qui sta en la peça»; y en inventarios barceloneses figura el «rest» desde 1390, y en inventarios valencianos desde 1393.[18]

Mucho más tarde ya, en 1434, el ristre es llevado por los caballeros que contienden en el Passo honroso,[19] que no olvidemos que se hizo con arneses de guerra, no de justa, y que, por lo tanto, visten las armas entonces más corrientes en los reinos de León y de Castilla.

Es natural, pues, que el ristre no aparezca en las partes originariamente primitivas del *Amadís de Gaula*, sin duda anteriores a 1386, cuando esta tan importante innovación llegó a España; y es natural también que Montalvo, en los pasajes por él refundidos y en los capítulos con que continuó la novela primitiva, evite la mención de un elemento que forzosamente conocía pero que en el *Amadís* hubiera sonado a algo así como un anacronismo.

No tuvo este escrúpulo el autor del *Palmerín de In-*

[17] Véase Blair, *European Armour*, págs. 60-62, y Buttin, *La lance*, págs. 101-106.

[18] Véase Riquer, *L'arnès*, pág. 79.

[19] Véanse unas cuantas citas en el texto de A. Labandeira, *El Passo Honroso de Suero de Quiñones*, Madrid, 1977, págs. 190, 200, 207, 211, 221, etc.

glaterra, quien a veces, al narrar combates con lanzas, hace mención del ristre:

... y después de les partir el sol, puniendo cada uno los ojos en lo que más les ponía la voluntad, al son de una trompeta, con las lanzas en ristre, cubiertos de los escudos remetieron con gran ímpetu (pág. 156a).

... y passando de la otra parte del río con la lanza puesta en el ristre, arremetió a él (pág. 254b).

Podemos concluir que, en los cuatro libros del *Amadís de Gaula*, los elementos que componen la lanza y su manejo en el combate no difieren absolutamente nada de lo que se lee en las novelas caballerescas francesas del siglo XIII (*Lancelot, Roman de Tristan*, etc.) y de lo que estuvo en uso en la Europa occidental en aquel siglo y en los tres primeros tercios del XIV.

La maza

La maza, *maça*, sólo es mencionada en los libros primero y segundo del *Amadís de Gaula*:

I.   ... vieron entrar por un postigo que a la mar salía un jayán con una muy gran maça en su mano, y era tan grande y dessemejado ... (pág. 36, 257-261).

I.   ... traýa [el gran gigante señor de la Peña de Galtares] ... una gran maça de fierro muy pesada con que fería (pág. 99, 9-14).

I.   ... y dexóse yr al jayán que la maça tomava del suelo, y diole con la espada en el palo d'ella y cortóle todo, que no quedó sino un pedaço que le quedó en la mano, y con aquel lo firió el jayán de tal golpe por cima del yelmo que la una mano le fizo poner en tierra, que la maça era fuerte y pesada (pág. 100, 58-67).

II.   A esta hora se juntaron los gigantes Gandalac y Albadançor, y firiéronse ambos de las maças de tan fuertes golpes que ellos y los cavallos fueron a tierra (pág. 491, 329-333).

Y recojamos que cuando Amadís tiene que luchar con los leones le prestan una maza y un escudo que no son suyos (I, pág. 195, 583-584).

Así pues, pese a que la maza de armas fue muy preciada por grandes caballeros,[20] en el *Amadís* sólo es llevada y manejada por perversos gigantes. En esto nuestra novela recoge una tradición muy arraigada en los *romans* caballerescos franceses, en los cuales la maza es arma de villanos y muy especialmente de gigantes. Ello ya aparece en el *Erec* de Chrétien de Troyes:

> Li jaiant n'avoient espiez,
> escuz, n'espees esmolues,
> ne lances; einz orent maçues.[21]

En la Continuación Perceval, o Segunda Continuación de *Li contes del graal*:

---

[20] Véase Ch. Buttin, *Les armes de coup*, «Bulletin de la Société des Amis du Musée de l'Armée», LVII, 1955, págs. 24-26.
[21] Versos 4362-4364; edición Roques, pág. 133.

Li jeanz le tient molt por fol
de ce que einsint vers lui vient;
sa maçue ampoigniee tient,
qui longue iert et grosse et quarree ...[22]

En *Li biaus descouneüs*, refiriéndose a un segundo
«jaian»:

Li autres le vint a itant,
maçue au col, sel vaut ferir.[23]

En el *Lancelot*:

Et li jaians demande sez armes... si li aportent bones armes et riches.
Et quant il fu armés si li amaint un destrier fort et isnel, qui ert
plus noirz que meure. Et il monte errannment sus, et pent a son
arçon devant une hace trenchant et une mace de fer plommee fort
et pesant (Sommer, V, pág. 135, 11-17).

En el *Florian et Florete*:

Floriant regarde si voit
les jaianz qui vers li venoient,
quar ja aperceü l'avoient.
Chascuns tenoit une maçue...[24]

En el *Cleomadés* de Adenet le Roi, donde, al enu-

[22] Versos 21824-21827; edición Roach, IV, pág. 110.
[23] Versos 758-759; edición Williams, pág. 24.
[24] Versos 1670-1673; edición Williams, pág. 82.

merar el revoltijo de armas que guarda «uns jaians», se mencionan las «maçues».[25]

No cabe duda, pues, de que quien escribió los libros primero y segundo del *Amadís de Gaula* conocía este rasgo tan propio de la novela caballeresca francesa. Lo encontramos también en el *Palmerín de Inglaterra*:

... el gigante ... en la mano derecha traía una maza de hierro pesada (pág. 20a).

El gigante ... con su maza en la mano (pág. 68b).

... salió un gigante; traía en la mano derecha una maza de hierro (pág. 130a).

El hacha

El hacha es arma que aparece en los tres primeros libros del *Amadís de Gaula*. Raramente es arma de caballeros:

III.   Y don Florestán traía siempre consigo cada que podía dos o tres escuderos para ser mejor servido y porque le traxiessen lanças y hachas, de que él muy bien se sabía ayudar (pág. 846, 199-204).

Y, como la maza, es también arma propia de gigantes:

[25] Verso 2930; edición Henry, pág. 97.

II.   A estas bozes llegó Basagante al más correr de su cavallo, y
traýa una acha de azero muy pesada (pág. 461, 841-843).

II.   Vio delante de sí al gigante Cartadaque de la Montaña Defendida, que con una pesada facha dava tan grandes golpes ... Y don
Galaor apretó la espada en la mano y fue para él ... y no parando allí
la espada, cortóle la asta de la facha por cabe las manos (pág. 491,
275-291).

Ello también ocurre en el *Palmerín de Inglaterra*:

... en esto salió de dentro un caballero de grandes miembros armado
de armas blancas, y traía en las manos una hacha de que se preciaba
y era diestro (pág. 130a).

... salió un caballero a manera de jayán grande ... venían con él dos
escuderos, el uno le traía una lanza y el otro una hacha de armas con
el hierro dorado (pág. 253a).

Pero, principalmente, el hacha es arma de escuderos, peones y villanos:

I.   Como la donzella entró tomáronla ·vi· peones por el freno, armados de capellinas y corazas ... El Donzel del Mar fue allá, y ... lle-
gándose al mayor d'ellos le travó de la hacha, y diole tal ferida con
el cuento que lo batió en tierra (pág. 50, 113-134).

I.   Assí llegaron donde los quatro peones eran ... y [Amadís] dexóse yr a ellos y dio a uno que alçava una acha para lo ferir tal golpe
que el braço le cortó y le echó en tierra ... (pág. 58, 45-58).

I.   ... vio un enano feo encima de un cavallo y cinco peones armados con él de capellinas y hachas (pág. 102, 215-218).

I.   ... fue para él un villano, y Galaor, sacándole de las manos una hacha ... (pág. 137, 369-371).

I.   Y tomando [el carcelero] una hacha y una adarga se fue contra él ... y Amadís ... puso mano a la espada y dexóse yr a él y cortóle la asta de la hacha (pág. 166, 373-393).

I.   ... y falló cinco ladrones ... y todos eran armados de fachas y lorigas (pág. 236, 13-18).

I.   ... venían dos escuderos armados de arneses y capellinas, como sirvientes, y trayán sendas hachas en sus manos, grandes y muy tajadoras (pág. 350, 338-342).

III.   Vieron venir un hombre a cavallo, y traýa dos cabeças de cavalleros colgadas del petral, y en sus manos una hacha toda tinta de sangre ..., lo conoscieron, que era Lasindo, escudero de don Bruneo (pág. 835, 607-617).

El hacha, muchas veces como arma de escuderos, peones y villanos, aparece en textos castellanos del XII y del XIII,[26] y en gestas y romans franceses.[27] Y hemos visto en tres de los textos citados (I, pág. 50, pág. 102 y pág. 350) que los peones que visten «como sirvientes»

[26] Véase Giese, *Waffen*, págs. 68-69.
[27] Véase Sternberg, *Angriffswaffen*, págs. 44-45, y Bach, *Angriffswaffen*, págs. 46-48.

portan hachas y van tocados con el sencillo casco llamado *capellina*, del que tratamos más adelante. Si advertimos que la capellina equivale al casco en francés llamado *chapel de fer* y que el sirviente es el *serjant*, nuestros tres pasajes quedan ilustrados con el siguiente del *Lancelot*:

... et avoit ·v· serjanz ovec li armé de hauberguns et de chapeaus de fer, et venoient vers Bohort chascuns ·i· hache en sa main... (Sommer, V, pág. 147, 13-15).

Tan conocido era que el hombre de armas de poca categoría o el villano se armaba de hacha y capellina que nació una expresión que recoge Cervantes en el *Quijote* dos veces. La primera es una divertida y aguda sátira de los temas de los libros de caballerías:

... nuestro famoso español don Quixote de la Mancha, luz y espejo de la cavallería manchega, y el primero que en nuestra edad y en estos tan calamitosos tiempos se puso al trabajo y exercicio de las andantes armas, y al de desfazer agravios, socorrer viudas, amparar donzellas, de aquellas que andavan con sus açotes y palafrenes, y con toda su virginidad a cuestas, de monte en monte y de valle en valle; que si no era que algún follón, o algún villano de acha y capellina, o algún decomunal gigante las forçava, donzella huvo en los passados tiempos que, al cabo de ochenta años, que en todos ellos no durmió un día debaxo de tejado, se fue tan entera a la sepultura como la madre que la avía parido (I, cap. 9).

La segunda está en boca de Sancho:

... pero pensar que tengo de poner mano a la espada, aunque sea contra villanos malandrines de acha y capellina, es pensar en lo escusado (II, cap. 4).

Los textos del *Amadís* aquí reunidos acreditan que la contera del hacha se denominaba *cuento* (I, pág. 51, 134) y el mango *asta* (I, pág. 166, 393, y II, pág. 491, 290), lo mismo que en la lanza.

La espada

La espada, arma privilegiada del caballero, tiene en el *Amadís de Gaula*, como en todas las novelas caballerescas, una importancia primordial. Gracias a la espada y al anillo del rey Perión, colocados en el arca en que el niño es abandonado a las aguas, se averigua años después que se trata de Amadís; y éste, desde el capítulo LXX de la novela, realiza sus hazañas con el nombre de Cavallero de la Verde Espada, del mismo modo que Gauvain será llamado li Chevaliers à l'espée y Palamedes, el simpático sarraceno del *Roman de Tristan*, será conocido por li Chevaliers aus deus espées, y tantos otros. A pesar de su importancia las espadas que aparecen en el *Amadís* no tienen nombre propio, como la Durendal de Roldán o la Escalibor del rey Artús, o la Colada y la Tizón del Cid, como tampoco en nuestro libro tienen nombre los caballos.

La espada desempeña una especial función en el combate individual cuando, quebradas las lanzas en los primeros encuentros, los caballeros desmontan y combaten con ella. Pero como tanto la forma y los elementos esenciales de la espada y su manejo y esgrima varían muy poco, el examen de esta arma en el *Amadís* no da resultados significativos.

El arriaz, o cruz formada por la empuñadura de la espada y sus dos brazos, recibe en el *Amadís* el nombre de *cruz*:

I.   ... tomó la espada que cabe sí tenía, y poniendo la diestra mano en la cruz, dixo: — Yo juro en esta cruz y espada, con que la orden de cavallería recebí ... (pág. 15, 309-314).

IV.   Mucho miraron el guarnimiento d'ella [de la espada]... especialmente la mançana y la cruz, que lo que el puño cierra semejóles que era de huesso tan claro como el cristal y tan ardiente y colorado como un fino rubí (pág. 1296, 782-790).

Aunque no con mucha frecuencia, esta parte de la espada es llamada *croiz* en las novelas francesas de los siglos XII y XIII. Así en la Continuación Gauvain, o Primera Continuación de *Li contes del graal*:

> Et il s'an antremet an vain,
> car antre la croiz et la main,
> res a res, l'espee glaça,
> c'onques a la main ne toicha,
> car trop fu acreüz li deus,
> car l'espee li vole an deus.
> Seur une espee l'autre brise,
> tant c'or est la chose ainsint prise

qu'Aalardins a lui se rant.
La croiz de s'espee li tant ...[28]

El pomo de la espada recibe, en el *Amadís*, el nombre de *mançana*:

I. ... diole tal ferida en la mançana de la espada en los pechos, que lo derribó en tierra (pág. 106, 517-519).

I. ... y dándole con la mançana de la espada en el rostro, le dixo: — Dardán, muerto eres si a la dueña no das por quita (pág. 120, 885-889).

I. A esta sazón vino a caer a los pies de Agrajes el cavallero, y él le tiró el yelmo y diole grandes golpes de la mançana de la espada en el rostro (pág. 147, 426-430).

I. ... y Amadís le dio de la mançana de la espada en el rostro, que le quebrantó la una quexada (pág. 166, 400-402).

III. Don Grumedán tenía al uno de los romanos de espaldas en el suelo, y él las rodillas sobre sus pechos, y dávale en el rostro grandes golpes de la mançana de la espada (pág. 903, 905-910).

III. ... y quitándole el yelmo de la cabeça dávale con la mançana de la espada en el rostro (pág. 914, 289-291).

El término manzana para designar el pomo de la espada es muy frecuente en textos castellanos. Ya en el *Cantar del Cid*:

[28] Versos 7849-7858; edición Roach, II, pág. 233.

sacan las espadas e relumbra toda la cort,
las mançanas e los arriazes todos d'oro son.[29]

Conocido es el texto de *Las Siete Partidas*:

E assí como las armas que ome para ante sí para defenderse muestran fortaleza que es virtud que faze a ome estar firme en los peligros que avinieren, assí en la mançana es toda la fortaleza de la espada, ca en ella se suffre el mango e el arriás e el fierro (*Segunda partida*, tít. XXI, ley IV).

Aparece a menudo en la *Gran conquista de Ultramar*:

Entonce echóse sobre él el Cavallero del Cisne e quitóle el yelmo, e començóle a dar con la mançana de la espada tantas feridas por el rostro e por la cabeça, fasta que lo mató (Cooper, I, pág. 156).

Como puede verse, este texto es similar a los que hemos recogido del *Amadís*: cuando un caballero ha conseguido derribar a su adversario, le quita el yelmo y le golpea el rostro con el pomo de la espada hasta que confiesa rendirse o acepta la muerte.

La imagen frutal *manzana-pomo*, debida a la forma redonda de este elemento de la espada, también se da en francés medieval, pero se complica con el cruce de varias etimologías: *pomus*, *punctus*, *pons* y *pugnus*, confusión sin duda atribuible a los amanuenses,

[29] Versos 3177-3178. Véase Menéndez Pidal, *Cantar del Cid*, II, págs. 738-739.

que grafían el término diversamente: *poins, pons, poing, pom, pont, punt*, etc.[30] Teniendo esto en cuenta señalemos que la escena indicada (aquella en que el caballero golpea el rostro del adversario con el pomo) es muy común en las novelas francesas y volveremos a señalarla al tratar de los lazos del yelmo. En el *Lancelot* y en *La queste del Saint Graal*:

Et Agravains li saut sour le cors et li esrache le heaume de la teste et li donne de grans cops del poing de l'espee parmi le chief, si quil en fait le sans saillir. Si li dist quil se tiengne per outré ou il le copera la teste (Sommer, V, pág. 5, 36-39).

Et Boors l'aert au hiaume et le tire si fort qu'il li esrache de la teste et le giete en voie, et le fiert dou pont de l'espee sus le chief, si qu'il en fet le sanc saillir et les mailes dou hauberc entrer dedenz; et dist qu'il l'ocierra s'il ne se tient por outré (Pauphilet, pág. 174, 8-12).

Y en *Dumart le Galois*:

> Atot le pomel de l'espee
> la teste li a estonee.[31]

La fonética francesa puede permitir una confusión entre *pom* (de *pomus*) y *poing* (de *pugnus*), pero la castellana no; y así encontramos en el *Amadís de Gaula* los «puños de la espada». En su combate con Gasinán, Amadís le dirigió un fuerte golpe de espada, que aquél

[30] Véase Sternberg, *Angriffswaffen*, pág. 9.
[31] Versos 4765-4766; edición Gildea, pág. 125.

esquivó, y el arma dio en un pilar de piedra y «fue quebrada en tres pieças». Sigue la lucha, Gasinán le golpea el escudo, y Amadís

I.   ... algunas vezes le dava con los puños de la espada, que en la mano le quedó, tales golpes que le fazía rebolver de una y de otra parte (pág. 234, 117-121).

El uso del término en plural indica bien a las claras que aquí *puño* no está en el sentido corriente con que se aplica a la espada: parte de la guarnición que está entre el pomo y el recazo.[32] En el *Amadís* se trata, evidentemente, de los gavilanes, los hierros horizontales de la cruz; pues Amadís, rota la espada, sólo podía herir a su adversario o bien con la parte de la quebrada hoja que le quedaba (lo que el texto no dice en modo alguno) o con los gavilanes. Corrobora esta explicación un episodio del *Palmerín de Inglaterra*, donde se narra la terrible lucha entre el Caballero de la Fortuna (Palmerín) y el Caballero del Salvaje: tras los ataques con las lanzas combaten con las espadas y luego «en pequeño espacio fueron las armas casi deshechas», hasta tal punto que pelean cuerpo a cuerpo y el del Salvaje advierte que «la espada... no cortaba a su sabor»; y luego vuelven a las manos «porque las espadas estaban tales que hacían poco daño» (pág. 62). El rey quiere impedir esta pelea, que no parece caballeresca, pero los contendientes

no quisieron hacer lo que él les mandaba, antes, perdiéndole la obe-

---

[32] Leguina, *Glosario*, pág. 734.

diencia, se juntaron tanto que con los puños de las espadas comenzaron a se abollar los yelmos (págs. 62b - 63a).

Un incidente similar se supone en el *Amadís de Gaula* con la espada de don Florestán, pero aquí en vez de *puños* se utiliza el término, más vago, *empuñadura*:

II.   ... ahunque de la spada otra cosa no llevava sino la empuñadura (pág. 494, 532-534),

lo que queda un poco iluminado pocas líneas más abajo: «y Florestán le dio con aquello que de la spada tenía tal golpe que el yelmo le derribó de la cabeça» (pág. 494, 536-539).

La hoja de la espada es llamada *fierro* en el *Amadís*:

I.   ... y la espada del cavallero entró bien la media por el yelmo del rey; mas la del rey quebró luego por cabe la mançana y cayó el fierro en el suelo (pág. 276, 315-319).

Es término empleado en *Las Siete partidas*:

E bien otrosí, como las armas que el ome tiene endereçadas para ferir con ellas allí do conviene muestran justicia que ha en sí derecho e ygualdad, esso mismo muestra el fierro de la espada, que es derecho e agudo, e taja egualmente de ambas las partes (*Segunda partida*, título XXI, ley IV).

También es utilizado en la *Gran conquista de Ultramar*:

... tenía la espada, que era muy buena e relumbrava con el sol que dava en ella e parecía el yerro d'ella todo cárdeno (Cooper, II, pág. 328).

El forro en que se introduce la espada lleva en el *Amadís* el corriente nombre de *vayna*:

I.   ... y metiendo su espada en la vayna ... (pág. 29, 277-278).

I.   ... vieron la espada colgada de un rramo del árbol, y parescía muy hermosa y tan fresca como si entonces se pusiera, y la vayna muy ricamente labrada de seda y de oro (pág. 93, 331-336).

II.   ... sacó d'ella una spada, la más estraña que nunca se vio, que la vayna d'ella era de dos tablas verdes como color de esmeralda, y eran de huesso, tan claras que el fierro de la spada se parecía dentro; mas no tal como el de las otras, que la media se mostrava tan clara y limpia que lo más ser no podía, y la otra meytad tan ardiente y bermeja como un fuego. El guarnimiento d'ella y la cinta en que andava todo era del mismo huesso de la vayna, hecha en muchos pedaços juntados con tornillos de oro, de guisa que muy bien, como otra cinta, se podía ceñir (pág. 468, 230-246).

En el *Amadís* no se menciona nada parecido al *tahalí* o *baldrier*, si bien los caballeros llevan la espada envainada sujeta a la cintura o *cinta*, como hace suponer el pasaje que acabamos de leer y corrobora éste:

I.   Y metiendo mano a su espada, que ahún tenía en su cinta (pág. 120, 913-914).

No podemos decidir si esta cinta es un elemento exclusivamente vinculado a la espada o un mero cinturón del caballero. En el *Libro de Alexandre* es lo primero:

> quiso çeñir espada por seer cavallero ...
> la çinta fue obrada a muy grant maestría ...[33]

Pero en la *Gran conquista de Ultramar*, cuando un moro es literalmente partido por la mitad, parece lo segundo:

> ... e dio tan gran golpe a un moro ... sobre la loriga que traýa vestida, que le travesó por la cinta bien cabe los arzones de la silla; assí que, la cabeça con los braços e los pechos hasta en la cinta cayó sobre la puente, e las piernas con muy poco de lo otro quedaron sobre la silla (Cooper, II, pág. 30).

Lo que ocurre es que los caballeros del *Amadís de Gaula* llevan la espada prendida de una cadena:

> I.   Y dexando colgar la espada de la cadena, tomó muy presto la facha que al villano se le cayera (pág. 237, 42-44).

> II.   ... don Galaor cobró la espada, que colgada de la cadena[34] tenía (pág. 491, 301-302).

> III.   ... vio venir contra aquella parte do él estava a Brontaxar d'Anfania, firiendo y derribando cavalleros con su spada; y algunas ve-

---

[33] Estrofas 89 y 91; edición Cañas, pág. 109.
[34] En la edición de Place se transcribe, por error, *cadera*.

zes la dexava colgar de una cadena con que travada la tenía (pág. 730, 1028-1034).

IV. ... y Agrajes soltó la espada en la cadena con que la traýa (pág. 1109, 193-195).

En el *Amadís* primitivo encontramos este detalle dos veces. La primera corresponde al tercero de los pasajes que acabo de citar (pág. 730, 1028-1034), y es así:

et traýa el espada prendida por una cadena de fierro por el braço, et quando quería travar a manos, dexávala et después cobrávala quando quería (pág. 17).

La segunda vez difiere mucho del texto correspondiente de Montalvo:

Aquella ora que lo vio Brontaxar enderesçar contra, i dexó colgar la espada de la cadena et tomó una lança muy buena (pág. 17).

En el *Cleomadés* de Adenet le Roi encontramos muy bien explicada la función de esta cadena:

Quant Cleomadés vit s'espee
qui estoit en mi leu coupee,
l'espee forment couvoita
qui la seue ainsi coupee a;
sachiez qu'il fera son povoir,
s'il puet, de cele espee avoir.
Un petit le cheval brocha,
au roi Galdas les bras geta,

93

per la chaienne le saisi
a quoi li brans d'acier pendi
que il couvoitoit mout forment,
a lui le tire telement
que le rois Galdas reversa
seur le cheval, et rompue a
la chaienne tout erranment;
l'un et l'autre, si com j'entent,
l'espee et la chaienne aussi
enporta, pour voir le vous di.[35]

Estas cadenas iban fijadas por un cabo a la defensa que cubría el pecho del caballero, como atestiguan diversas manifestaciones artísticas (tumbas con caballeros yacentes, miniaturas) y textos como la siguiente nota de un inventario francés del año 1302:

2 chaînes à attacher à la poitrine de la curie, l'une pour l'épée, l'autre pour le heaume attacher.[36]

O la instrucción que aparece en el *Traité du noble office d'armes*, de mediados del siglo XV y atribuido a Sicile, que fue heraldo de Alfonso el Magnánimo:

Devoit avoir le chevalier 2 chainnes à attachier à la poitrine de la curie, l'une pour l'espée et l'autre pour le baston.[37]

---

[35] Versos 1055-1072; edición Henry, pág. 42.
[36] Citado en Buttin, *Du costume*, pág. 252.
[37] Citado en Buttin, *La lance*, pág. 145.

El conjunto de elementos que servían para llevar la espada y sin duda para embellecerla reciben en el *Amadís* los nombres de *guarnición* y *guarnimiento*, que tiene un sentido más pronto vago y general:

II.   ... tomó la espada, y dexando la vayna y la guarnición de forma que se no paresciesse que de allí faltava, la metió debaxo de un ancho pelote que traýa de talle muy estraño (pág. 523, 224-229).

III.   ... lo llaman el Cavallero de la Verde Spada ... dizen que trae una grande spada de un guarnimiento verde (pág. 861, 355-363).

III.   Mandó a Gandalín le traxesse las seys espadas ... que maravillados fueron de ver la riqueza de sus guarnimientos (pág. 868, 51-59).

Armas defensivas

El yelmo

En el *Amadís de Gaula*, el único casco que protege la cabeza del caballero es llamado siempre *yelmo*. Como este término se ha empleado para designar piezas defensivas de la testa que han evolucionado o se han generalizado al aplicarse a distintas formas de casco nos es necesario reunir textos de la novela castellana con la finalidad de concretar cómo era el yelmo en ella tantas veces citado.

En cuanto a su materia, y como es natural, el yelmo del *Amadís* es de acero:

I.   ...se hirían por cima de los yelmos, que eran de fino azero (pág. 118, 737-738).

I.   ... firiéronse encima de los yelmos, que eran de fino azero (pág. 350, 391-392).

Lo mismo que en los romans franceses, como en el *Lancelot*: «et li lacent el chief un vert hialme d'acier dur et serré» (Micha, II, pág. 157).

El metal del yelmo es reluciente: «... el yelmo y escudos limpios y muy claros» (IV, pág. 1089, 410-412), como se advierte ya desde Chrétien de Troyes: «avoit hiaumes luisanz et clers» (*Erec*, verso 5731). Brontaxar, adversario de Amadís, luce un «yelmo dorado» (III, pág. 730, 1052; pág. 731, 1140, y pág. 732, 1151). Pero el propio Amadís, en cierta ocasión, lleva «un yelmo oriniento, tal que muy poco valía» (I, pág. 299, 152-154). Y el emperador de Roma se arma con un yelmo negro (IV, pág. 1089, 353).

Característica constante de los yelmos llevados por los caballeros del *Amadís* es que cuando éstos los traen en la cabeza no son identificables, pues les tapan completamente las facciones:

I.   Y tomó el yelmo y el escudo de su amigo para ge lo levar. Y Gandales, que la cabeça le vio desarmada, parecióle el más fermoso cavallero que nunca viera (pág. 31, 420-424).

I.   El Donzel del Mar no tiró su yelmo porque el rey no lo conosciesse (pág. 53, 285-287).

I.   ... y la donzella le quitó el yelmo contra su voluntad, y como el rey le vio el rostro conosció ser aquél el donzel que él armara cavallero (pág. 53, 313-317).

I.   Estonces desenlazó el yelmo y la donzella que le vio el rostro dixo: — Cierto creo yo que dezís verdad, que a maravilla os oý loar de fermosura (pág. 69, 218-223).

I.   Esta donzella no conosció a Amadís por el yelmo que avía puesto (pág. 178, 367-369).

III.   ... y poniéndose los yelmos porque los no conoçiessen, lo llamaron encubiertamente (pág. 734, 1313-1315).

III.   ... mas el yelmo no quitó porque don Grumedán no lo conoçiesse (pág. 851, 574-575).

III.   ... el Cavallero Griego ... dio al uno de los fijos del mayordomo el scudo y al otro la lança, y no se quitó el yelmo por no ser conoçido (pág. 887, 436-441).

IV.   Entonces el cavallero quitó el yelmo de la cabeça, y dixo: — Agora me podréys conoscer (pág. 1298, 930-932).

Que el yelmo no permite reconocer a los caballeros es nota muy frecuente en el roman francés del siglo XIII. Véase un pasaje del *Lancelot*, muy significativo en este sentido:

— Si vous pri par amours que vous me dies vostre non ou que vous ostés vostre heaume, si que jou vous voie apertement. Quant Lancelot entent le roy qui li requiert quil li die son non ou que il ostast son heaume, si li dist: — Sire, mon non ne poés vous ore savoir, mais mon heaume osterai jou de mon chief volentiers, puisque vous me volés veoir. Lors deslace Lancelos maintenant son heaume et l'oste de sa teste. Et quant li roys le voit en mi le vis si li connoist maintenant (Sommer, V, pág. 188, 19-25).

Bastan estos textos para llegar a unas conclusiones seguras sobre las características del yelmo del *Amadís*. No se trata del yelmo agudo o puntiagudo, que deja el rostro a descubierto y a veces va provisto de nasal, que aparece en el *Cantar del Cid* y que todavía figura en la *Gran conquista de Ultramar*.[38] Este tipo de yelmo fue evolucionando desde la segunda mitad del siglo XII, y finalmente fue substituido por el gran yelmo cilíndrico, en forma de bota o de tonel (el Tophelm), que cubría totalmente la cabeza, tapaba el rostro, reposaba sobre el cráneo del caballero e iba enlazado a la parte superior de la loriga. Esta nueva modalidad se extendió por Castilla hacia 1230,[39] y en Cataluña y Aragón se generaliza desde 1286, tras una etapa (entre 1231 y 1287) en que se insinúa en una forma de evolución intermedia.[40] Por lo que atañe a Europa en general es admisible concluir que el yelmo puntiagudo y que deja ver parte del rostro perdura hasta finales del siglo XII, y que el yelmo cilíndrico, o de tonel, que tapa completamente el rostro, empieza a usarse en los primeros de-

[38] Véase Giese, *Waffen*, págs. 111-112.
[39] Véase Menéndez Pidal, *Cantar del Cid*, II, pág. 718.
[40] Véase Riquer, *Rencesvals*, pág. 247.

cenios del XIII.[41] Esta nueva modalidad de yelmo, tan incómodo como excelente protector, aunque en la guerra dejó pronto de usarse, sobre todo al idearse el cómodo y eficaz bacinete, perduró, incrementadas sus piezas protectoras, como casco propio de las justas hasta bien entrada la Edad Moderna. Este gran yelmo cilíndrico, o en forma de tonel, es, sin duda alguna, el que llevan los caballeros del *Amadís de Gaula*.

Yelmo de Pomerania
(hacia 1280)

Podemos imaginarnos cómo era el yelmo de los caballeros del *Amadís* si tenemos en cuenta el encontrado en Pomerania, hoy en el Historisches Museum de Berlín, que se ha fechado en la segunda mitad del siglo XIII;[42] y, recurriendo a testimonios españoles, los que llevan los caballeros de la tercera miniatura de la

[41] Riquer, *Rencesvals*, págs. 243-244.

[42] Véase en Riquer, *L'arnès*, fig. 29, y H. Schneider, *Die beiden Tophelme von Madeln*, «Zeitschrift für schweizerische Archäeologie und Kunstgeschichte», XIV, 1953, págs. 29-31, donde describe 13 yelmos de los siglos XIII y XIV conservados en museos, iglesias y depósitos.

cantiga LXIII de Alfonso el Sabio[43] y los que aparecen esculpidos, en el siglo XIV, en capiteles del claustro de la catedral de Pamplona.[44]

La forma tubular de este yelmo permite que, cuando los caballeros duermen en la soledad de los bosques, les sirva de almohada, cosa que sería imposible con el antiguo yelmo agudo. Así:

I. ... y debaxo del otro pino yazía otro cavallero acostado sobre su yelmo ... (pág.159, 519-520).

I. Entonces, del sueño vencido, puso su yelmo a la cabeçera y el escudo encima de sí. Adormescióse ... (pág. 214, 178-180).

I. — Cómo — dixo el otro — ¿soys vós el que allí dormíades acostado a su yelmo? (pág. 217, 364-366).

I. ... Amadís, acostado a su yelmo, se echó cerca d'ella ... Pues durmiendo todos ... (pág. 226, 140-142).

Esto debe responder a una realidad, como parece corroborarlo el hecho de que en ciertas estatuas yacentes de caballeros armados la cabeza del difunto reposa sobre su yelmo, como ocurre en la de Berchtold von Walder, muerto en 1343;[45] en la de Jean III de Ribeaupierre, muerto en 1362,[46] y en la magnífica tumba del

---

[43] Véase en J. Guerrero Lovillo, *Las cántigas*, Madrid, 1949, lámina 70.

[44] Véase Riquer, *L'arnès*, figs. 76 y 77.

[45] Veg. Martin, *Armes et armures*, pág. 58, fig. 51.

[46] *Ibíd.*, pág. 91, fig. 75.

Príncipe Negro († en 1376) de la catedral de Canterbury,[47] cuya bella armadura debió de ser admirada en España, pues posiblemente la vistió en la batalla de Nájera (1367). Hay que hacer notar que en las estatuas de estos tres caballeros figura el yelmo grande y ostentoso, que se superponía al bacinete y se adornaba con la cimera, elementos, estos dos, que nunca aparecen en el *Amadís de Gaula*:

El yelmo va sujeto con lazos:

I. ... diole por cima del yelmo, assí que la espada llegó a la cabeça, y como por ella tiró quebraron los lazos y sacógelo de la cabeça (pág. 70, 268-272).

I. ... diole el donzel tal golpe por cima del yelmo que por fuerça quebraron los lazos y saltóle de la cabeça (pág. 73, 533-536).

I. ... y quebrándole los lazos del yelmo, le salió de la cabeça (pág. 113, 344-345).

I. ... y quitándole los lazos del yelmo, le dio por el rostro y por la cabeça con la mançana de la espada grandes golpes (pág. 239, 212-215).

II. ... y Beltenebrós le dio con la acha por encima del yelmo un tan gran golpe, que por fuerça se le quebraron todos los lazos y fízogelo saltar de la cabeça (pág. 462, 882-887).

III. Y don Florestán lo firió en el yelmo y quebrándole los lazos ge lo derribó de la cabeça, rodando por el campo (pág. 848, 367-370).

[47] Véase Blair, *European Armour*, pág. 70. fig. 25.

Escenas muy similares aparecen con frecuencia en los romans franceses, y ya las he apuntado al tratar de la manzana de la espada. En el *Lancelot*:

... si li est rompus un des las de son hiaume; et li autres saut a lui, si li errache le hiaume de la teste et le gete loing tant com il le puet jeter (Sommer, III, pág. 209, 10-12).

Et Boors l'aert al hialme, si li tire si fort que tuit li las en sont rompu; et il li oste de la teste, si le giete tant loins com il plus puet (Micha, II, pág. 153).

Y en el *Roman de Tristan*:

... l'aert au hiaume ... si le tire si fort a soi qu'il li desront les laz et li arrache fors de la teste et le giete en voie au plus loing qu'il puet (Blanchard, pág. 184, 31-34).

El yelmo bien colocado va «enlazado», y cuando los caballeros se lo ponen no se olvidan de «enlazarlo»:

I. El Donzel del Mar, que su escudo tenía y el yelmo enlazado... (pág. 47, 617-618).

I. Estonces enlazaron sus yelmos y tomaron los escudos y las lanças (pág. 68, 171-173).

I. Y saliendo por la puerta de la villa vieron al rey Abiés sobre un gran cavallo negro, todo armado, sino que ahún no enlazara su yelmo (pág. 77, 81-85).

I. Estonces enlazaron sus yelmos y tomaron los escudos (pág. 77, 91-92).

III. ... laçó el yelmo en la cabeça (pág. 849, 459-460).

Compárese con pasajes del *Lancelot* y del *Roman de Tristan*:

— Ore prenés vostre escu et vostre lance et lachiés vostre hiaume et cheingiés vostre espee. Li vallés fu si desirans de la jouste que il ne li menbra onques de son escu, mais son hiaume li lacha un de ses escuiers (Sommer, III, pág. 134, 40-43).

Et Tristanz demande erranment son hyaume; et l'en li baille, bon et riche, et li lace l'en ou chief (Curtis, I, pág. 152, 2-4).

Y naturalmente, para desprenderse del yelmo lo primero que hay que hacer es «desenlazarlo»:

I. Entonces se desenlazaron los yelmos por folgar, que muy necessario les era (pág. 201, 172-174).

Estos lazos eran unas correas que sujetaban la parte inferior del yelmo a la parte superior de la loriga.

El yelmo en forma de tonel lleva, a la altura de los ojos, una hendidura o raja horizontal imprescindible para que el caballero pueda ver lo que tiene delante, elemento que no era necesario en el antiguo yelmo agudo porque éste no tapaba la vista. Esta hendidura en el *Amadís* es denominada *visera*, *visal* y *vista*:

I.   ... herióle so la visera del yelmo, y fue el golpe tan rezio que, cortándole el yelmo, le cortó las narizes hasta las hazes (pág. 150, 651-654).

I.   ... herióle en el yelmo so la visera, y cortóle d'él tanto que la spada llegó al rostro, assí que las narizes con la meytad de la faz le cortó (pág. 225, 99-103).

I.   ... diole Agrajes otro golpe sobre el visal del yelmo, y tanto entró en él la espada que no la pudo sacar; y tirando por ella hízole quebrar los lazos del yelmo (pág. 309, 343-348).

II.   Quando esto oyó el gigante, tornó contra él con gran saña, que el fumo le salía por el visal del yelmo (pág. 461, 791-794).

II.   Don Galaor cobró la espada ... metiéndogela al gigante por la vista (pág. 491, 301-304).

II.   Y Beltenebrós lo firió de la espada ... en derecho de la vista del yelmo, al través, de tal golpe que los ojos entrambos fueron quebrados (pág. 492, 379-383).

Estos textos indican que cuando el adversario es tan hábil que logra meter su espada por la hendidura del yelmo, el caballero que lo lleva es herido en las narices y en los ojos. Esta acción no es muy frecuente en las novelas caballerescas, y en *L'estoire del Saint Graal* se realiza mediante un cuchillo:

... et li uns trait un coutel, si le'n quide ferir parmi le vis, tres parmi l'ouverture de son hiaume (Sommer, I, pág. 63, 35-36).

Que la hendidura que en gran parte del primer libro del *Amadís* recibe el nombre de *visera* sea denominada *visal* desde el final de éste y en el segundo, donde también es llamada *vista*, podría deberse al deseo de no confundirla con la visera móvil propia del bacinete, que se introduce en el armamento a partir de principios del siglo XIV. En el *Amadís*, los caballeros, para hablar claramente, darse a reconocer o aliviarse del calor, nunca levantan la visera, por la sencilla razón de que en sus yelmos ésta no es una pieza, sino una hendidura horizontal. Y advirtamos que en el *Lancelot* los yelmos presentan una hendidura visual como en el *Amadís*, y que cuando en la novela francesa se hace mención de la «ventaille»[48] se trata de la pieza de mallas unida a la loriga que cubría el rostro, a veces por debajo del yelmo. No ocurre lo mismo en el *Palmerín de Inglaterra*, donde encontramos pasajes como los siguientes:

En esto vinieron a ellas tres caballeros armados, e traían las viseras de los yelmos alzadas (pág. 123a).

... y dejando caer la visera del yelmo que traía levantada, se apartó todo lo que vio que era menester con su lanza baja (pág. 226b).

Debajo del yelmo y cubriendo el cráneo el caballero llevaba un casquete metálico, que en el *Amadís* es llamado *casco* o *caxco* y que sólo encuentro en estos pasajes:

[48] Cfr. Sommer, III, págs. 190, 19; 393, 10 y 401, 40-402, 1.

II.   ... diole un gran golpe por encima del yelmo, assí que tajó quanto alcançó y del almófar del arnés, y cortóle de la cabeça fasta el casco (pág. 384, 413-416).

III.   ... dio un golpe por cima del yelmo a otro cavallero, que no prestó [*sirvió de nada*] el yelmo que no le cortase hasta el caxco, y dio con él en el suelo (pág. 681, 209-213).

En el *Libro de Alexandre* aparece esta segunda protección, mencionada por el autor con tal interés que su inserción al final del verso fuerza el ripio:

> e lidiava sin asco,
> mató un alto home que era de Damasco,
> tollió'l de la cabeça el yelmo e el casco.[49]

Y en la *Primera Crónica General*:

Diag Ordonnez ... fue contra Rodrig Arias y dio'l una ferida por somo de la cabeça que·l cortó el yelmo et el almófar con la meatat del casco (pág. 518b).

Estos textos hacen suponer que el casco del *Amadís* equivale a la *coife de fer*, que, en oposición a la *coiffe* normal, que era de mallas, aparece en algunos pasajes de las novelas francesas del XIII, como el *Lancelot*:

... li fent le hialme et la coife de fer, si li fet venir l'espee jusqu'en la cervele (Micha, II, pág. 118).

[49] Estrofa 1374; edición Cañas, pág. 252.

Et lors s'aïre Lancelos, si hauce l'espee et fiert le chevalier amont el
hialme si grant cop que li hialmes ne la coife de fer nel garanti que
jusqu'en la char ne li face l'espee sentir (Micha, II, pág. 127).

El yelmo se afianza esencialmente en el cráneo del
caballero y el que éste vaya cubierto por el *casco*, o *coife
de fer*, hace tolerable aguantar el peso con la cabeza. En
el *Amadís*, la parte superior del yelmo, o lo que podríamos llamar su techo, se denomina *corona*; y en el único
pasaje que aparece se explica que, cercenada esta corona por el adversario, el yelmo queda sin el soporte del
cráneo, se hunde todo él en la testa del caballero, deja
descubierta la parte superior y queda aguantado en los
hombros. El texto es bien claro y explícito:

II.   Y Basagante, que tan cerca lo vio [a Beltenebrós], pensóle cortar la cabeça; mas firióle en lo alto del yelmo, así que le cortó toda
la corona cercen y los cabellos abueltas, sin le llagar a la carne. Y
Beltenebrós se tiró afuera, y el yelmo, que no tenía en qué se sufrir,
cayósele sobre los ombros, y la spada de Basagante dio en tierra en
unas piedras y fue quebrada por medio. Los que miravan cuydaron
que la media cabeça le cortara (pág. 462, 887-900).

Los yelmos del *Amadís* tienen también *arco* y *faldas*. El arco es, sin duda, el refuerzo metálico que rodea
horizontalmente la parte media del yelmo, y que en
francés es llamado *cercle*. Véanse dos ejemplos de la
Continuación Gauvain, o Primera Continuación de *Li
contes del Graal*:

Des helmes font le fu salir

et les cercles rompre et voler.[50]

Sor lor elmes de lor nus brans
se donent uns cops si tres grans
que toz lor cercles decolperent
et lor elmes toz enbarrerent.[51]

Este *cercle* o *arco* tan ostensible, podía ser lujoso y rico, como acredita la misma Continuación:

Molt par estoit riches li hiaume;
le cercles estoit a orfroiz,
plaine de jafes, de rubois,
et de pierres qui reluisoient.[52]

El arco sólo es mencionado una vez en el *Amadís*, junto con las «faldas del yelmo», que reaparecen en otra ocasión:

I. ... cortando de los yelmos los arcos de azero con parte de las faldas d'ellos; assí que las espadas descendían a los almóhares y las sentían en las cabeças (pág. 325, 410-414).

III. ... y encontróle por cima del escudo so la falda del yelmo, en el pecho, tan fuertemente que lo lançó de la silla en el campo (pág. 837, 766-769).

---

[50] Versos 896-897; edición Roach, I, pág. 25.
[51] Versos 2903-2906; edición Roach, I, pág. 79.
[52] Versos 1332-1335; edición Roach, II, pág. 41.

Estas faldas podrían ser unas pequeñas tiras de mallas que a veces pendían de todo el entorno de la parte inferior del yelmo;[53] o podría tratarse simplemente de un modo de denominar la parte del yelmo inferior a la hendidura de la visera. Lo descrito en el segundo de los pasajes del *Amadís* es claro: el caballero que recibe el golpe va inclinado sobre el cuello del caballo y embrazando el escudo, y el arma del adversario topa en la parte superior del escudo, por debajo de la falda del yelmo, y da en el pecho.

En el *Amadís de Gaula* se hace mención de la *orilla* y del *canto* del yelmo, términos no técnicos y de fácil comprensión:

I. ... hirióle por la orilla del yelmo contra hondón y cortóle d'él una pieça, y la espada llegó al pescueço y cortóle tanto, que la cabeça no se pudo sofrir y quedó colgada sobre los pechos, y luego fue muerto (pág. 156, 336-342).

I. ... le llagó y derribóle el canto del yelmo, y descendió la espada al ombro siniestro y cortóle una pieça del arnés con una pieça de la carne (pág. 342, 857-861).

Como ya hemos podido observar en los pasajes referentes a la manzana de la espada y a los lazos del yelmo, éste es quitado o arrancado violentamente al adversario derribado o vencido para conminarlo a

[53] Como las que se advierten en un yelmo procedente de Norfolk reproducido en W. Boenheim, *Handbuch der Waffenkunde*, Leipzig, 1890, pág. 28, fig. 8.

que se rinda o muera. Véanse otros pasajes similares:

I.   El donzel fue sobre él, y tirándole el yelmo díxole: — Muerto eres, rey Abiés, si te no otorgas por vencido (pág. 79, 247-250).

I.   ... diole por cima del yelmo tan dura herida que los ynojos hincó en tierra; y assí tomóle por el yelmo y tiró tan de rezio que ge lo arrancó de la cabeça y fízolo caer tendido (pág. 189, 155-160).

III.   ... y quitándole el yelmo de la cabeça dávale con la mançana de la espada en el rostro, preguntándole dónde estava Oriana (pág. 914, 289-292).

Esta situación es frecuentísima en las novelas francesas del XIII, y aquí mismo ya hemos recogido algunos pasajes y antes recogimos otros al tratar de la manzana de la espada. Veamos, ahora, dos momentos del *Lancelot*:

... et Lancelos li esrache le heaume de la teste et li donne grant cop del poing de l'espee, si l'atourne tel quil crie merci (Sommer, V, pág. 161, 17-18).

Et Lancelot l'ahert au heaume et le trait si durement a lui quil le esrace de la teste, si le giete en voie, puis le fiert en la teste si durement quil le fent jusques es dens et cil chiet mors el fossé (Sommer, V, pág. 207, 23-26).

El yelmo, en los cuatro libros del *Amadís de Gaula*, es, pues, el único casco que lleva el caballero y se identifica, indiscutiblemente, con el de forma de tonel, o Tophelm, que empezó a usarse en Castilla hacia el cuarto decenio del siglo XIII, y que pervivió hasta mucho más allá de los tiempos de Montalvo como yelmo propio del arnés de justa. Es éste el yelmo que aparece constantemente en las novelas caballerescas francesas del siglo XIII, como corroboran las bellas miniaturas de manuscritos del *Lancelot* y del *Roman de Tristan*, desgraciadamente inéditas en su mayoría y tan poco estudiadas.

No sería temerario concluir que el yelmo del *Amadís* tiene esta forma tan propia del siglo XIII porque la novela castellana parece más inspirada en aquellos *romans* franceses que en la realidad del armamento caballeresco de la Castilla de su tiempo. Sorprende que en el *Amadís* no se haga mención alguna del bacinete, introducido a principios del siglo XIV y citado en la *Gran conquista de Ultramar*, en el *Poema de Alfonso Onceno* y en las crónicas de Ayala.[54] Y por lo que afecta al cuarto libro del *Amadís* sorprende también que no se encuentre ninguna referencia al elmete o almete, aparecido hacia 1415 y tantas veces mencionado en el Passo Honroso (1434), ni a la celada, ya divulgada en 1425.[55]

No integrada en modo alguno al arnés del caballero, sino como casco propio de villanos, figura en el *Amadís* la *capellina*, casco de hierro que se amoldaba a la forma de la cabeza.[56] En francés se llama *chapel de*

[54] Véase Conde de Valencia de don Juan, *Catálogo histórico-descriptivo de la Real Armería*, Madrid, 1898, pág. 417; Giese, *Waffen*, pág. 116, y Leguina, *Glosario*, págs. 129-130.

[55] Véase Blair, *European Armour*, págs. 85-88, y Riquer, *L'arnès*, págs. 128-129.

[56] Véase Giese, *Waffen*, págs. 113-114.

fer y en catalán *capell de ferre*, y su aspecto a veces recuerda el casco de los *tommies* ingleses de la guerra de 1914-1918. Véanse estas referencias, todas ellas del libro primero del *Amadís*:

I. ... ·vi· peones... armados de capellinas y corazas (pág. 50, 114-116).

I. ... vio un enano feo encima de un cavallo y cinco peones armados con él de capellinas y hachas (pág. 102, 215-218).

I. ... y empós d'él venían dos escuderos armados de arneses y capellinas, como sirvientes, y trayán sendas hachas en sus manos (pág. 350, 337-341).

Al tratar del hacha ya hemos comentado la expresión «de hacha y capellina», y hemos visto que aquélla era arma ofensiva de gigantes. Pues bien, la capellina, en el libro tercero del *Amadís*, también es casco propio del gigante:

III. Vieron venir a Madarque, el bravo gigante... y venía en un gran cavallo y armado de hojas de muy fuerte azero y loriga de muy gruessa malla, y en lugar de yelmo una capellina gruessa y limpia y reluziente como espejo (pág. 680, 147-154).

La loriga y el arnés

Los caballeros del *Amadís de Gaula* protegen gran parte del cuerpo con una defensa generalmente denominada *loriga* y en una zona de la novela llamada también *arnés*. Adelantemos que la *loriga* es una especie de camisón de mallas metálicas que va desde el cuello hasta las rodillas, con elementos que protegen la cabeza y los brazos, y que en francés recibe el nombre de *haubert*;[57] y que con la palabra *arnés*, en francés *harnois*, se suele denominar el conjunto de piezas defensivas con que se puede vestir un hombre. Nebrija, en su *Vocabulario español-latino*, define: «*loriga*: armadura de malla, lorica», pero no recoge *arnés*. El concepto, al parecer, más propio de *arnés* nos lo ofrece el *Lancelot* francés del siglo XIII, cuando al joven héroe de la novela le proporcionan «le harnois a un chevalier: hauberc et heaume et chauces de fer et genoilleres et cote a armer de blanc samit» (Sommer, V, pág. 97, 3-5). Según estas líneas, componen un arnés la loriga, el yelmo, las calzas de hierro, las rodilleras y la cota de armas o sobreseñales.

Hechas estas leves y elementales precisiones generales, enfrentémonos con el complicado problema que presentan estos dos términos en el *Amadís de Gaula*. El término *arnés* aparece entre el capítulo IV (pág. 47, 633) y el capítulo LIV, hacia la mitad del libro segundo (pág. 443, 174), muy poco antes de la inserción de la canción de Leonoreta. El término *loriga* no aparece hasta el capítulo XXII (pág. 199, 39)[58] y es usado hasta el final de la novela (IV, pág. 1336, 964), pero hasta el capítulo LIV

57 Véase M. de Riquer, *El «haubert» francés y la «loriga» castellana*, «Marche Romane», 1978, págs. 545-568.

58 Antes de aparecer *loriga*, el término *arnés* figura 14 veces en el *Amadís* (47, 633; 48, 649; 52, 206; 58, 106; 62, 344; 69, 260; 78, 144; 103, 290 y 303; 113, 394; 118, 742; 161, 26; 162, 94 y 178, 404).

en concurrencia con *arnés*.[59] Anotemos, de paso, que el término *loriga* se encuentra en los fragmentos del *Amadís* primitivo (pág. 19).

El empleo de los términos *arnés* y *loriga* se puede reflejar así:

```
libros:        I               II              III            IV
capítulos: 1--4--22--43    44--54--64       65--81        82--133
           :.......... arnés .........:
           └─────────────────────── loriga ───────────────────────┘
```

La primera mención de la palabra *loriga* se halla en un contexto que permitiría sospechar que para quien la escribió es un sinónimo de *arnés*. Es así:

I.   ... y encontráronse en los escudos tan fuertemente que los falsaron, y las lorigas también (pág. 199, 37-39).

En primer lugar comparemos estas palabras con aquellas en las que aparece la primera mención de *arnés* en la novela:

I.   ... y encontráronle en el escudo, que ge lo falsaron, mas no el arnés, que fuerte era (pág. 47, 631-633).

Y en segundo lugar tengamos presente que pocas líneas después de la primera aparición de *loriga*, y narrando la misma batalla, encontramos, refiriéndose a los mismos contendientes:

[59] No vuelve a aparecer *arnés* después del capítulo LIV.

I.   ... sus escudos eran rajados y cortados por muchas partes, y assimesmo lo eran sus arneses (pág. 200, 54-57).

Ello puede hacer suponer que *arnés* y *loriga* son sinónimos en aquella zona del *Amadís de Gaula* en que
ambos términos conviven. No obstante, una sinonimia total de términos técnicos de milicia en un libro de
caballerías no parece que deba darse como cosa segura,
y esto es lo que induce a estudiar paralelamente las características de la loriga y del arnés en nuestra novela.

Para la defensa del cuello, inmediatamente más
abajo de donde protege el yelmo, la loriga tiene una
pieza que se llama *gorguera*:

I.   ... diole por entre el yelmo y la gorguera de la loriga en descubierto tal golpe, que ligeramente le derribó la cabeça a los pies del
cavallo (pág. 350, 404-408).

Un pasaje de la *Gran conquista de Ultramar* ilustra
perfectamente esta pieza de la loriga:

E Golías de Meca tiró una saeta e hirió a Ricarte en la gorguera de la
loriga muy fieramente, que quanto alcançó de las sortijas, assí lo tajó redondo, como la navaja los cabellos de la barva, e llagóle en el
cuello muy malamente. E Ricarte, quando sintió la ferida e vio correr la sangre sobre la loriga ... (Cooper, II, pág. 326).

Para una protección similar, aunque de más alcan-
ce, el arnés lleva en el *Amadís* la pieza de mallas llamada *almófar* o *almóhar*, especie de capuchón o esclavina,
el viejo *capmall* de los textos catalanes, que más adelan-

te se llamó en francés *camail*. En la fuerte lucha entre don Galaor y don Florestán, que combaten hasta que se reconocen, en un primer momento los contendientes «desguarnecieron los arneses» (I, pág. 325, 347-348), y en una nueva acometida se atacaron

I. ... assí que las espadas descendían a los almóhares y las sentían en las cabeças (pág. 326, 412-414).

Otro texto es más explícito en cuanto a la vinculación del almófar al arnés:

II. ... diole un gran golpe por encima del yelmo, assí que tajó quanto alcançó y del almófar del arnés, y cortóle de la cabeça fasta el casco (pág. 384, 413-416).

En el *Libro de Alexandre*, el almófar aparece en relación con la loriga, aunque hay que tener presente que este poema desconoce el término arnés:

> vestió's una loriga de azero colado,
> terliz e bien texida, el almofre doblado.[60]

Nos conviene no olvidar que esta loriga es «terliz».
En la *Gran conquista de Ultramar*, el almófar aparece vinculado también a la loriga:

... e dio tan gran herida a un cavallero de Cataloña, que llamavan Dalmás, por encima de un yelmo çaragoçano que traýa, que ge lo

---

[60] Estrofa 660; edición Cañas, pág. 172.

cortó, e el almófar de la loriga, e metióle el espada bien hasta la nariz (Cooper, I, pág. 561).

E el turco acometióle estonces, e hirióle sobre el yelmo tan fieramente, que le cortó todo quanto alcançó; e el golpe decendió a siniestro con el almófar e con la carne de la cabeça hasta el tiesto, assí que le tajó la loriga e colgóle hasta el ojo (Cooper, II, pág. 328).

... diole tal golpe por encima de la cabeça, que le cortó el yelmo e el almófar de la loriga, e partióle la cabeça por medio, e descendió el golpe por medio del pescueço, cortando la loriga, e por los pechos ayuso hasta el ombligo, de manera que cada meytad cayó a su parte (Cooper, II, pág. 515).

Es lo que en *Las siete partidas* se denomina «loriga complida con almófar» (part. II, tít. XXVI, ley XXVIII). La loriga del *Amadís* tiene mangas, elementos que no encuentro nunca vinculados al arnés:

I.   Galaor lo herió en descubierto en el braço derecho, que le cortó la manga de la loriga y el braço cabe el codo, y ge lo echó en tierra (pág. 221, 156-159).

III.   ... y passó por él muy apuesto llevando la lança de Salustanquidio metida por el escudo y por la manga de la loriga, assí que todos pensaron que yva ferido (pág. 884, 245-250).

IV.   ... le dio con su espada en el braço ... y cortóle la manga de la loriga y el braço (pág. 1156, 217-220).

IV.   ... firióle de tal golpe cabe el codo que, comoquiera que la

manga de la loriga muy fuerte y de muy gruessa malla era, no le pudo prestar ni estorvar que la su muy buena espada no ge la tajasse
hasta cortar gran parte de la carne del braço y la una de las cañillas
(pág. 1260, 571-579).

En las novelas caballerescas francesas se hace mención de «la manche du hauberc». Así en *La mule sans
frein*:

> Je verré ainz tote ta manche
> de ton hauberc de sanc vermel.[61]

En el *Perlesvaus*:

... e fiert le roi desus la bocle de son escu si que li fers ardanz le perce
le fust et la manche du hauberc e li conduist le fer tres parmi le braz
(Nitze, pág. 39, 390-391).

Y en el *Lancelot*:

Et li chevaliers refiert lui si que parmi l'escu et parmi le mance del
hauberc le point el brac, si li fait l'escu hurter au coste, si durement
que l'esquine li est ploié contre l'archon (Sommer, III, pág. 148,
38-41).

Las mangas de la loriga aparecen con cierta frecuencia en textos castellanos medievales. En la *Primera
crónica general*:

[61] Versos 748-749; edición Johnston-Owen, pág. 79.

Per Arias quando esto oyó, maguer que era mal ferido de muerte, alimpiósse de la sangre la cara et los ojos con la manga de la loriga (pág. 517a, 23-26).

... et diéronse tan grandes golpes que se cortaron los yelmos et las mangas de las lorigas (pág. 517b, 19-21).

En la *Gran conquista de Ultramar*:

E Ricarte, que sabía mucho esgremir, hirióle con gran tiento... en la manga de la loriga, que todo el braço sobre el cobdo cayó con la espada en tierra (Cooper, II, pág. 330).

Señalemos la cortesía recogida en el *Amadís*, donde las damas, al querer evitar que los caballeros les besen las manos, ponen la suya en la manga de la loriga:

III.   Y don Florestán fue ante ella [la doncella] y quiso le besar las manos, mas ella no quiso y púsole su mano en la manga de la loriga en señal de buen recebimiento (pág. 858, 156-161).

III.   Y Amadís fue hincar los ynojos ante ella [Oriana] por le besar las manos, mas ella lo abraçó y tomóle por la manga de la loriga, que toda era tinta de sangre de los enemigos (pág. 914, 300-304).

Tanto el arnés como la loriga tienen *faldas*, que protegen al caballero de cintura abajo y que equivalen a lo que los textos franceses llaman *les pans, les girons* o *la gironnée*.[62] Veamos dos pasajes en que las faldas aparecen en su función guerrera:

[62] Véase Schirling, *Verteidigungswaffen*, págs. 46-47.

I.   ... y Abiseos, que la falda del arnés [de Agrajes] le alçava para la espada le meter... (pág. 341, 803-805).

III.   ... mas a él le encontraron dos cavalleros, el uno en el escudo y el otro en la pierna, que passando por la falda de la loriga la cuchilla de la lança le fizo una ferida (pág. 768, 913-918).

Pero las faldas tienen también una función cortés, similar a la que hemos recogido para las mangas de la loriga. Cuando un inferior quiere besar el pie de un caballero éste evita acción tan respetuosamente subordinada haciéndole besar la falda del arnés:

I.   Entonces descendió del cavallo para le besar el pie. Y el donzel [Amadís] lo desvió de la estribera, y el otro besóle la falda del arnés (pág. 62, 341-344).

II.   Y Durín estava delante d'él llorando, así que le no podía responder. Amadís lo abraçó y acomendólo a Dios; y besóle la falda del arnés y despidióse d'él (pág. 384, 454-459).

Cervantes, gran lector del *Amadís* y de tantos otros libros de caballerías, conocía muy bien esta costumbre; y cuando promete a su escudero que lo hará gobernador,

Agradecióselo mucho Sancho, y, besándole otra vez la mano y la falda de la loriga, le ayudó a subir sobre Rozinante (*Quijote*, I, cap. 10).

Y cuando alguien, sea hombre o mujer, adopta

una actitud suplicante hacia un caballero, no es raro que, de rodillas, le agarre («trave») por la falda de la loriga:

III. Y los que huýan ... fueron contra Amadís, que delante venía; y hincados los ynojos ante los pies de su cavallo, le demandaron merced que los no matasse, y traváronle de la falda de la loriga por escapar de los otros (pág. 681, 233-242).

III. Mabilia estava de ynojos ante él y teníale por la falda de la loriga (pág. 914, 313-314).

IV. ... fue [la dueña] contra él llorando, y fincó los ynojos en tierra, y díxole: — Mi señor Amadís ... Entonces le travó por la falda de la loriga con sus manos ambas, tan fuerte que un solo passo no lo dexava andar. Amadís la quiso levantar, mas no pudo ... La dueña le dixo ... — Y creed que estas mis rodillas nunca d'este suelo serán levantadas ni quitadas mis manos d'esta loriga ... fasta que por vós me sea otorgado esto que demando ... Pero como tan fieramente la vio llorar y travada tan rezio de su loriga y las rodillas en tierra ... (pág. 1304, 1438-1488).

Cuando se concierta una batalla o se acepta un reto los caballeros, en calidad de gajes o prendas que garantizan el compromiso contraído, pueden dejar en manos de un tercero, testigo de alta calidad, los guantes («las lúas») o la falda del arnés o de la loriga. Véanse dos pasajes tan similares que inducirían a suponer que arnés y loriga eran sinónimos o casi sinónimos:

II. Y tendiendo las lúas en señal de gajes las dio al rey, y Landín la

falda del arnés; assí que a consentimiento de ambos quedó la batalla treynta días después que la de los reyes passasse (pág. 443,
172-177).

II. — Señor, Angriote miente en quanto ha dicho de nuestro padre
y de Brocadán, y nós ge lo combatiremos, y veys aquí nuestros gajes. Y echaron en el regaço del rey sendas lúas, y Angriote le tendió
la falda de la loriga y dixo: — Señor, veys aquí el mío (pág. 580, 941-
949).

Observemos que en ambos casos las faldas se pueden desprender fácilmente del arnés o de la loriga, lo
que supone que aquéllas eran piezas sueltas, que se llevaban prendidas a la parte principal de la defensa por
medio de correas. Que por lo menos el arnés llevaba
correas lo atestigua este pasaje:

I. ... y salió el golpe en soslayo, assí que baxó al ombro y cortóle
las correas del arnés, con la carne y huessos (pág. 113, 392-395).

Las faldas de la loriga se mencionan con cierta frecuencia en la *Gran conquista de Ultramar*:

... e la espada descendió tan de rezio de la parte siniestra, que le fendió
el escudo por medio, assí que la una parte cayó luego en tierra. E demás, tajóle una gran pieça de la falda de la loriga (Cooper, I, pág. 313).

Pero porque vos no deximos complidamente de cómo se armara,
queremos vos lo contar aquí: primeramente vistióse el Obispo un
gambax de xamete, e sobre él la loriga, que era muy fuertemente
obrada, e era hecha por las faldas con otros metales muy hermosa-

mente. Después d'esto, diéronle el yelmo, orlado de muy rica lavor, dorado e obrado con filo de aniel; e puesto el yelmo e enlazado, calçáronle las espuelas de oro (Cooper, II, pág. 173).

... e rompióle toda la loriga de la diestra parte hasta en las faldas, e la carne de las espaldas hasta en los huessos (Cooper, II, pág. 355).

Con la pretensión de averiguar si, en el *Amadís de Gaula*, existe alguna diferencia, por leve que sea, entre el arnés y la loriga, examinemos los verbos usados en la novela cuando se quiere dar a entender que un arma ofensiva los deteriora. Ambos se pueden *falsar*, verbo que ya aparece en el *Cantar del Cid*[63] y que es muy empleado en textos medievales castellanos para indicar que ciertas armas defensivas (yelmo, loriga, escudo) han sido «estropeadas» por las ofensivas (lanza, espada, tiro de arco, etc.).[64] En los textos franceses también es muy frecuente *fauser*, con el mismo valor; y cuando el autor de la *Historia troyana* de hacia 1270 traduce versos del *Roman de Troie*, lo vierte por «falsar», «foradar», «romper» y «desmallar»,[65] lo que corrobora la vaguedad de aquel verbo.

En el *Amadís*, y por lo que respecta a la loriga:

I. ... encontráronse en los escudos tan fuertemente que los falsaron, y las lorigas también (pág. 199, 37-39).

---

[63] Cfr. Menéndez Pidal, *Cantar del Cid*, II, pág. 681, donde interpreta: «falsar: romper o atravesar las armas defensivas».

[64] Véase Giese, *Waffen*, págs. 30, 63 y 74.

[65] Cfr. Riquer, *El armamento en el «Roman de Troie»*, pág. 481.

III.   ... su escudo falsado y la loriga (pág. 784, 164-165).

IV.   ... diole tan gran encuentro que le falsó el escudo y la loriga, y passó la lança a las espaldas (pág. 1146, 98-100).

Y por lo que respecta al arnés:

I.   ... fue herir a otro ... en la cuxa de la pierna, y falsóle el arnés y la pierna y entró la lança por el cavallo (pág. 290, 238-241).

Tanto la loriga como el arnés se pueden *cortar*:

I.   ... diole un golpe de lueñe, por la cinta, de la espada y cortó la loriga (pág. 283, 329-331).

I.   ... y diole un tal golpe por cima del ombro siniestro que le cortó el arnés y la carne y los huessos hasta cerca de los costados (pág. 309, 395-399).

II.   ... y Beltenebrós le dio con la spada en el braço y cortóle la loriga (pág. 462, 858-860).

Tanto el arnés como la loriga se pueden *romper*:

I.   Amadís le firió tan bravamente que, sin que·l arnés fuesse roto en ninguna parte, le quebrantó dentro del cuerpo el coraçón (pág. 339, 688-691).

III.   ... y la loriga rota y malparada (pág. 721, 368-369).

IV.   ... mas no en tal forma que escusar pudiesse que los golpes del gigante no le rompiessen en algunas partes la loriga y le llegassen a la carne (pág. 1261, 642-646).

Sólo en relación a la loriga encuentro el verbo *tajar*:

III. ... de tal golpe que le tajó la loriga, que era de muy gruessa malla (pág. 732, 1167-1169).

Y sólo en relación al arnés el verbo *desguarnescer*:

I. ... abollavan los yelmos y desguarneçían los arneses (pág. 78, 143-145).

I. ... que el yelmo de poca defensa era y el arnés mucho menos, que desguarnescido en muchas partes era, y la carne cortada por más de diez lugares, que la sangre salía (pág. 308, 305-310).

Tanto el arnés como la loriga son de mallas, aspecto que debemos examinar con detención. Por lo que al primero afecta es bien concluyente este pasaje:

I. ... firió a Florestán en el escudo, que ge lo falsó, y detúvose en el arnés, que era fuerte y bien mallado, y la lança quebró (pág. 349, 265-268).

Y la loriga es de «gruessa malla»:

II. Llegó Ardán Canileo, bien armado encima de un gran cavallo, y su loriga de muy gruessa malla ... Y la spada de Amadís no cortava nada en las armas de Ardán Canileo, que eran muy fuertes; mas ahunque la loriga de gruessa y fuerte malla era, ya estava rota por más de diez lugares, que por todos ellos le salía mucha sangre (pág. 532, 870-873 y 947-954).

III. ... le tajó la loriga, que era de muy gruessa malla (pág. 732, 1168-1169).

IV. ... comoquiera que la manga de la loriga muy fuerte y de muy gruessa malla era (pág. 1260, 573-575).

Arneses y lorigas se pueden *desmallar*:

I. Los encuentros fueron tan grandes en los escudos que los falsaron, y asimesmo los arneses fueron con la gran fuerça desmallados (pág. 350, 373-377).

IV. Rajavan sus escudos y desmallavan las lorigas por muchas partes de guisa que las spadas llegavan a sus carnes (pág. 1278, 869-872).

Lo que no ocurre nunca con las mallas de las lorigas es que se desprendan y, como piezas segregables de la vestimenta militar, puedan caer al suelo. Esto, en el *Amadís*, sólo ocurre con las mallas del arnés:

I. ... firióle con su espada por cima del yelmo y no le alcançó bien, y descindió el golpe al arzón de çaga y levóle un pedaço y muchas mallas del arnés (pág. 103, 304-308).

I. ... y de los arneses y otras armas hazían caer en tierra muchas pieças y mallas y muchas rajas de los escudos (pág. 118, 741-744).

I. ... los escudos todos los fazían rajas, de que el campo era sembrado, y de las mallas de los arneses (pág. 326, 415-418).

Retengamos, pues, esta capital diferencia: las lorigas son de gruesa malla, que puede ser falsada, cortada, rota y tajada, pero cuyos elementos nunca se desprenden del conjunto de la defensa corporal; las mallas de los arneses, que no son «gruessas», se pueden falsar, cortar, romper y desguarnecer, y el arma enemiga puede arrancarlas de la vestimenta y hacerlas caer al suelo.

Éstas y otras diferencias de las mallas con que se confeccionaba la loriga en la Edad Media han quedado resueltas gracias a un importante libro de François Buttin,[66] del cual nos conviene señalar las dos modalidades que afectan a lo que ahora estamos indagando, caracterizadas por la distinta índole de la *malla* (en francés *maille*, derivado de *mallea*, no de *macula*): las *mailles clouées*, pequeñas piezas metálicas, redondas o rectangulares, que se fijaban con clavos en un indumento de cuero o de tela muy resistente, a veces superpuestas o imbricadas (como las tejas de un tejado), y que por lo tanto el arma enemiga podía falsar, cortar, romper, desguarnecer y arrancarlas y hacerlas caer al suelo; y la *maille treslie*, o malla anular (la *lorica trilix* de los romanos), formada con anillos de hierro entrelazados o ensartados con alambre, defensa que podía ser falsada, cortada, rota y tajada, que una vez había sido así deteriorada por el arma enemiga presentaba una rotura, corte o tajo, pero cuyos elementos compo-

[66] Buttin, *Du costume.*

nentes en modo alguno podían desprenderse y caer al suelo.

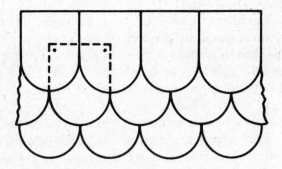

Malla *clouée* (de arnés en el *Amadís*)

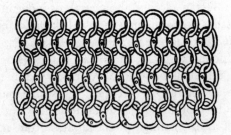

Malla *anular* o *terliz* (de loriga en el *Amadís*)

Es evidente, pues, que la única diferencia que existe entre el arnés y la loriga, aparentes sinónimos en una zona de los libros primero y segundo del *Amadís de Gaula*, es que el arnés es una defensa *clouée*, con mallas en forma de chapitas o plaquitas; y la loriga es una defensa *treslie*, con mallas anulares, lo que otros textos castellanos llaman *loriga terliz*.

Ya hemos visto que las mallas de nuestro arnés, o defensa *clouée*, pueden ser desprendidas y pueden caer al suelo («levóle ... muchas mallas del arnés», «hazían caer en tierra muchas pieças y mallas»), hasta el punto que el campo donde se lucha puede parecer «sembrado» (I, pág. 326, 416) de mallas de arneses. Esta imagen es frecuente en las novelas francesas del siglo XIII, como en *La mort Artu*:

et la place ou il se combatoient estoit toute jonchiée des mailles des haubers et des pieces des escuz (Frappier, pág. 200),

donde *jonchier*, moderno *jonquer*, quiere decir «alfombrado». Y en el *Lancelot*:

... li hauberc sont ja si empirié que l'erbe est coverte des mailles qui en sont volees (Micha, I, pág. 141).

Si pert bien a la terre ou il passent, quar toute estoit couverte de pieces d'escus et dez mailles de lor haubers (Sommer, V, pág. 390, 26-27).

Que las mallas, o plaquitas, del *haubert cloué*, nuestro arnés, se desprenden en la lucha es nota constante en las novelas caballerescas francesas del XII y del XIII. En *Li chevaliers au lion*, o *Yvain*, de Chrétien de Troyes:

Li uns l'autre a l'espee assaut ...
les hiaumes anbuingnent et ploient
et des haubers lēs mailles volent ...
ausi con se ce fussent pailles

fet del hauberc voler les mailles.[67]

Lo mismo en el *Roman de Tristan*:

et li hauberc que il tenoient a forz et a bons, derompent, et les mailles en volent espessement (Curtis, I, pág. 210).

Y a veces la precisión, no la exageración, llega a tal extremo que se da el número de las mallas rotas y desprendidas, como en el *Fierabras*: «Plus de quatre cents mailles en a rout et trencié», o en el *Gaydon*: «Et le hauberc desrompi et faussa: Plus de sept cents mailles en desevra».[68]

En el *Libro de Alexandre* castellano el número de mallas («manchas») roto es más modesto:

Començó'l a dar priessa dando'l grandes feridas,
havíele del escudo cuatro tavlas tollidas,
havié'l de la loriga cuatro manchas rompidas ...[69]

El *Libro de Alexandre* da al otro tipo de defensa el nombre de «loriga terliz», como en francés (cfr. «li haubers tresliz» en el *Erec* de Chrétien, verso 615), y a las mallas anulares que la constituyen el expresivo y concreto nombre de «sortijas», anillos:

[67] Versos 824, 842-843 y 4519-4520; edición Roques, págs. 26 y 138.

[68] Ejemplos citados en Schirling, *Verteidigungswaffen*, pág. 34.

[69] Estrofa 702; edición Cañas, pág. 177.

130

pero rompió'l un poco la loriga terliz.

Dio'l en somo del hombro una poca ferida,
pero cuatro sortijas rompió'l de la loriga.[70]

También el autor de la *Historia Troyana* vierte «sortijas de la loriga» cuando en el *Roman de Troie* encuentra «la maille de l'hauberc»,[71] y en la *Gran conquista de Ultramar* se emplea el mismo término:

Golías de Meca tiró una saeta e hirió a Ricarte en la gorguera de la loriga muy fieramente, que quanto alcançó de las sortijas, assí lo tajó redondo, como la navaja los cabellos de la barva (Cooper, II, pág. 326).

diole tal golpe sobre el oýdo, que le fiço pieças el yelmo, e metióle las sortijas de la loriga por la cabeça (Cooper, II, pág. 449).

La loriga de Ricarte, mencionada en el primer pasaje aquí citado, es definida pocas líneas antes como «una loriga blanca terliz».

Concluimos, pues, que las dos defensas de cuerpo que aparecen y conviven en una zona del *Amadís de Gaula* son el *arnés*, equivalente al *haubert cloué* francés, que se caracteriza por estar constituido por plaquitas metálicas imbricadas, que pueden ser desprendidas y echadas al suelo; y la *loriga*, equivalente de la *loriga terliz* (en francés «haubert tresliz»), que se caracteriza

[70] Estrofas 583 y 584; edición Cañas, pág. 164.
[71] Cfr. Riquer, *El armamento en el «Roman de Troie»*, pág. 480.

por estar constituida por anillitos («sortijas») entrelazados o ensartados. Y ambos elementos, las plaquitas y los anillitos, reciben el nombre de *mallas*, como ocurre también en francés.

Adviértase finalmente que esta distinción entre el arnés y la loriga, sólo diferenciados por el empleo de las plaquitas metálicas o los anillos, parece cosa propia del *Amadís de Gaula*, pues ya hemos visto que en otros textos castellanos (*Libro de Alexandre, Gran conquista de Ultramar*), que desconocen el término arnés, ambas modalidades son llamadas loriga y sólo algunas veces hacen la distinción denominando a la anular *loriga terliz*.

De algunas de las lorigas que aparecen en nuestra novela se precisa que son blancas, como las que llevan caballeros ya experimentados como Amadís, cuando se esconde con el nombre de el Cavallero Griego («y la loriga era tan alva como la luna», III, pág. 881, 38-39), o don Grumedán («vestió su loriga fuerte y muy blanca», III, pág. 899, 596-597);[72] pero en el libro cuarto se insiste en que las armas blancas son propias de los caballeros noveles:

IV. ... le dixe que tomaría el cavallo, porque era muy bueno, y la loriga y el yelmo, mas que las otras armas havían de ser blancas, como a cavallero novel convenían (pág. 1087, 191-196).

---

[72] Son numerosas las referencias a *haubers blans* en textos franceses del XII y del XIII; cfr. Schirling, *Verteidigungswaffen*, págs. 33-34, y Buttin, *Du costume*, págs. 69-70.

IV.   Pues a esta hora llegaron Gandalín y Lasindo, escudero de don Bruneo, armados de armas blancas como convenía a cavalleros noveles (pág. 1090, 466-470).

Aunque en estos dos textos no se precisa que las lorigas fueran blancas, un pasaje posterior demuestra que lo regular, en caballeros noveles, es que lo fueran:

IV.   ... tornó Urganda, y traýa en sus manos una loriga, y tras ella venía su sobrina Solisa con un yelmo, y Julianda, su hermana d'esta Solisa, con un escudo. Y estas armas no eran conformes a las de los otros noveles, que acostumbravan en el comienço de su cavallería de las tra'er blancas, mas eran tan negras y tan escuras que ninguna otra cosa tanto lo podía ser (pág. 1336, 938-948).

Cuando en el *Lancelot* la Dame del Lac prepara las primeras armas al joven héroe, a punto de armarse caballero, todas son blancas: «hauberc blanc et legier et fort», «escu tout blanc comme noif», y lo mismo la espada, el asta de la lanza e incluso la cota de armas (Sommer, III, pág. 118).

Por último, y tal vez en oposición al *haubert* francés, que parece que sólo podía ser vestido por caballeros, en el *Amadís* hombres viles pueden llevar loriga:

I.   ... falló cinco ladrones ... todos eran armados de fachas y lorigas (pág. 236, 13-18).

Las corazas *y las* fojas

Sólo una vez encuentro mencionadas las *corazas* en el *Amadís de Gaula*:

I.   ... ·vi· peones ... armados de capellinas y corazas (pág. 50, 114-116).

Se trata, pues, de una protección del cuerpo no propia de los caballeros; y lo mismo ocurre en el *Palmerín de Inglaterra*:

... cercado de siete u ocho hombres armados de corazas y alabardas, que tenían entre sí cuatro caballeros presos (pág. 46a).

... en esto llegaron cuatro peones armados de corazas y alabardas (pág. 53b).

... entraron por la puerta de la sala veinte peones armados de corazas y capellinas (pág. 124a).

El término corazas en castellano es relativamente reciente, y como se ha utilizado a partir del siglo xv y se utiliza todavía para designar las defensas de metal rígido de las unidades de coraceros que persisten en la milicia, nos es difícil imaginar cómo eran cuando la voz se introdujo. Este término, por ahora, presenta la siguiente cronología: en el *Carrós* del trovador provenzal Raimbaut de Vaqueiras, escrito entre 1197 y 1202, aparece por vez primera *coirassas*; en la lezda de Cotlliure, del 1249, se encuentra la primera mención catalana al establecer los derechos que hay que pagar por cada «quintal de launes de cuyraces»; en francés se registra *cuiraces* por vez primera en 1266; y mucho más tardíamente, en 1330, aparece *coraça* en castellano, en la estrofa 924 del *Libro de buen amor*. Las tres primeras lenguas acreditan suficientemente la etimología y señalan el material principal con que estaban confeccionadas: *cuer, cuir*, o sea «cuero».

Los textos del siglo XIII conducen a concluir que las corazas eran unas defensas del torso formadas por una cubierta exterior de cuero que llevaba tres telas interiores de estopa de cáñamo (cañamazo), entre las cuales iban embutidas y fijadas unas «launas», amplias láminas de hierro, imbricadas o situadas una al lado de la otra y afianzadas con clavos, lo suficientemente juntas o espesas para que no ofrecieran huecos o rendijas por donde pudiese penetrar el arma enemiga y al mismo tiempo dieran flexibilidad a la protección para que se pudiera mover con agilidad su portador. Estos textos nos informan que las corazas tenían «cuerpo», la parte esencial que defendía el torso, y que podían llevar gorguera, para proteger el cuello, mangas y faldas, como la loriga. Las corazas iban recubiertas con una tela de *xamete*, o jamete, de distintos colores, lo que hace que se pueda hablar de corazas rojas, o amarillas, o azules.[73]

Con frecuencia aparecen en el *Amadís* unas defensas del cuerpo llamadas *fojas*:

[73] Véase Riquer, *L'arnès*, págs. 52-53.

I. ... y traýa [el gigante señor de la Peña] unas fojas de fierro tan grandes que desde la garganta fasta la silla le cobrían (pág. 99, 9-11).

II. ... venía un gigante ... armado de unas fojas muy fuertes y un yelmo que mucho reluzía (pág. 459, 693-697).

II. ... y encontróle [al gigante] en las fuertes fojas debaxo de la cinta tan reziamente que por la fuerça le quebrantó las launas y entró la lança por la barriga (pág. 461, 809-813).

II. Y Beltenebrós le dio [al gigante] con la spada en el braço y cortóle la loriga y en la carne, y corrió la spada fasta abaxo por las fojas, que eran de fino azero (pág. 462, 858-862).

III. ... vieron venir a Madarque, el bravo gigante ... y venía en un gran cavallo y armado de hojas de muy fuerte azero y loriga de muy gruessa malla (pág. 680, 147-151).

III. ... y don Florestán le passó el escudo en derecho del costado siniestro y quebrantó las fojas por fuerça del golpe (pág. 849, 433-436).

III. Y el Cavallero Griego lo firió so el brocal del escudo y falsógele, y la lança topó en unas hojas fuertes y no las pudo passar (pág. 884, 239-243).

IV. ... salió el gigante ... su lança en la mano y armado de unas armas de azero muy limpio como el espejo, assí el yelmo como el escudo a su mesura, y unas hojas que todo lo más del cuerpo le cubrían (pág. 1259, 492-499).

De estos pasajes se deduce que las fojas podían ser de fuerte acero, que cubrían «todo lo más del cuerpo», y concretamente desde la garganta hasta las caderas (se prolongaban debajo de la cintura), que en su confección entraban las «launas», o láminas metálicas, y que se podían llevar juntamente con loriga «de muy gruessa malla», o sea loriga terliz.

Que las fojas eran una defensa incompleta, y por lo tanto debían ir combinadas con la loriga, lo demuestra un conocido pasaje de *Las Siete Partidas*. Tengamos en cuenta que poco antes del texto que transcribo el Rey Sabio ha precisado que «lorigón es dicho aquel que llega la manga fasta el cobdo, e non passa más adelante fasta la mano». Sobre las fojas escribe:

El que traxiere fojas con capillo de fierro ... El que traxiere fojas complidas con mangas fasta la mano, e lorigón fasta el cobdo, con faldas de loriga ... (part. II, tít. XXVI, ley XXVIII).

Las fojas podían ir vinculadas a una gorguera, protección del cuello; y la defensa del cuerpo del caballero se completaba con guantes de hierro, camberas y genolleras (o rodilleras), como atestigua una carta de Jaime II de Aragón a su yerno el infante don Pedro de Castilla, firmada en Valencia el 22 de marzo de 1312:

Sepades que vos enviamos las fojas con Johan Remíreç, de casa del infante don Jayme, nuestro fijo mayor, con gorguera que fiçiemos fazer después vos la tardamos tanto de enviar. E fazemos-vos façer un cambax e guantes de fierro para las fojas, e aýna vos las enviaremos; e también vos faremos façer camberas e genolleras después que

Johan Remíreç nos aya trayda la medida de vuestra pierna, que sin la medida no se podrían bien façer.[74]

En el *Victorial* de Gutierre Díez de Games, don Pero Niño entra en Túnez, en 1404, armado así:

Las armas que llevaban heran éstas: unas fojas e braçeletes, e una barreta, e una espada en la mano, e una adarga (Carriazo, pág. 116).

La *Crónica del Halconero de Juan II*, al narrar el asalto a Medina del Campo de 1441, dice que el rey

armóse de unas fojas e un arnés de piernas, e un vastón en la mano, ençima de su cavallo, e mandó sacar su pendón rreal (Carriazo, pág. 417).

Vemos, pues, que las fojas eran defensas que durante los siglos XIV y XV llevaban reyes y caballeros de alta condición, lo que contrasta con los textos del *Amadís* que hemos recogido, donde las fojas sólo son llevadas por temibles gigantes, perversos y viles, y nunca por caballeros dignos de estatura normal. Que las fojas formaban parte del indumento militar de los gigantes es nota también característica del *Palmerín de Inglaterra*:

... y a la entrada de la puerta el gigante le recibió armado de hojas de

---

[74] J. E. Martínez Ferrando, *Jaime II de Aragón, su vida familiar*. II, Barcelona, 1948, pág. 71. Las dos veces que aparece la palabra *fojas*, en el registro de Cancillería, comprobado por mí, se lee *sojas*, error del «escrivà de manament», a quien no debía serle familiar esta pieza de la armadura esencialmente castellana.

acero, más fuertes que hermosas, de que todo venía cubierto (pág. 20a).

... el gigante Almaurol ... salió ... armado de unas hojas de acero no menos fuertes que hermosas, en un caballo negro (pág. 94a).

... tras ella tres gigantes de desmedida grandeza, armados todos de una manera, cubiertos los cuerpos de hojas de acero tan fuertes y gruessas, que parecían imposible ser desbaratadas con nenguna arma (pág. 165b).

... estaba un jayán de demasiada estatura, cubierto de hojas de acero negras estremadamente fuertes (pág. 229a).

El gran Dramusiando salió solo en un gran caballo rucio rodado, armado de hojas de acero d'estremada fortaleza ... y como fuesse grande ... (pág. 358b).

Es muy difícil precisar cómo eran las *fojas* citadas en el *Amadís de Gaula* y, si existía, qué diferencia las separaba de las *corazas*, que la novela sólo menciona una vez. Sabemos de cierto que en la confección de las fojas, como en la de las corazas, entraban las *launas* («y encontróle en las fuertes fojas ... tan reziamente que por la fuerça le quebrantó las launas», pág. 461, 809-813). La voz *launa*, probablemente catalanismo, procede del latín *lamina* o *lamna*, «lámina de metal» (Meyer-Lübke, *REW*, 4869). Un pasaje de obra tan divulgada en la Edad Media como el *Speculum historiale* de Vincent de Beauvais, redactado hacia 1254, creo que ilumina sobre lo que eran las piezas del armamento personal que en Castilla eran llamadas fojas y corazas:

Armati sunt autem coriis superpositis lamnis ferreis coniunctis.
Lamnique vel corio brachia cooperiunt.[75]

Estas protecciones con «launas» se pueden documentar perfectamente con piezas auténticas gracias a la extraordinaria riqueza de armas defensivas y ofensivas de los guerreros que murieron el 17 de julio de 1361 en la batalla de Wisby cuando los daneses atacaron Jutlandia, que fueron enterrados precipitadamente y sin ser despojados de cuanto llevaban encima, restos descubiertos en 1905 y que fueron objeto de cuidadosas excavaciones de 1928 a 1930, cuyos resultados, en todos los órdenes, se ofrecieron en el magnífico libro de Bengt Thordeman y sus colaboradores *Armour from the battle of Wisby*.

Los guerreros jutlandeses de Wisby defendían el torso con protecciones de seis tipos, los cinco primeros llamados por Thordeman «coat of plates» y el último «lamellar armour». Los cinco primeros tipos, de los que se conservan en perfecto estado 24 armaduras, están constituidos por láminas de hierro rectangulares, que iban clavadas en el interior de una prenda de cuero que cubría el torso. Estas láminas están colocadas por lo general verticalmente, aunque alguna vez las que protegen el vientre son tres y están en posición horizontal; su número, en los cuatro primeros tipos, oscila de 10 a 20, lo que hace que las dimensiones de las mayores sean 15 x 50 cms. La vestidura de cuero embutida con estas láminas de hierro defendía pecho y

[75] Lib. XXX, cap. 79, citado por Buttin, *Du costume*, pág. 261.

vientre y espalda (y por la espalda se solía abrochar). El tipo tercero de la clasificación de Thordeman, con láminas verticales que, en tres hileras, van desde la barbilla al bajo vientre, coincide con la primera mención del *Amadís*: «unas fojas de fierro tan grandes que desde la garganta fasta la silla le cobrían» (pág. 99, 9-11). Esta vestidura de cuero, embutida de láminas de hierro, a la que Thordeman da el discutido nombre de «coat of plates», aparece documentada en gran cantidad de representaciones artísticas y gráficas de toda Europa. No era, pues, una pieza exclusiva de los guerreros de Jutlandia. Estos ejemplos gráficos hacen ver que frecuentemente esta prenda es llevada por encima de una loriga de mallas anulares, la terliz. La evolución del poder de penetrabilidad de las armas ofensivas, como la ballesta, exigía reforzar el poder defensivo de la vieja loriga. Ello se advierte en gran número de estatuas yacentes de caballeros, en miniaturas de mediados del siglo XIV, como las de ciertos manuscritos del *Roman d'Alexandre* francés, en el famoso caballero durmiente del monasterio de Wienhausen (de hacia 1280, hoy en el Provinzialmuseum de Hannover), en el grande e impresionante San Mauricio de la catedral de Magdeburg (hacia 1250), etcétera. Y también lleva una larga protección de láminas embutidas, pero sin loriga, el caballero de la capilla de Santa Catalina de la catedral de Burgos, obra del siglo XIV.[76]

En materia tan delicada, y cuando las piezas del armamento lejos de estar uniformadas experimentan va-

[76] Véase Thordeman, *Armour*, I, págs. 286-287, 289 y 307.

riaciones leves o decisivas, y cuando la terminología cambia no tan sólo de un país al otro, sino también en textos redactados en el mismo lugar, es arriesgadísimo, con los elementos de que disponemos, precisar de un modo definitivo qué se entiende en el *Amadís* por corazas y por fojas. Lo que hasta ahora hemos visto nos conduce a creer que ambos términos designaban una prenda del torso de cuero con telas interiores que permitían colocar o embutir entre ellas las launas o láminas de hierro rectangulares, muy aproximadamente de un palmo de longitud, y que exteriormente iba cubierta de tela fina de color llamativo. Estas defensas cubrían desde el cuello hasta el bajo vientre y se podían combinar con otras protecciones del cuello, de los brazos o de los muslos y se podían llevar encima de la loriga anular.

Esta prenda es, sin duda, la que en catalán recibió el nombre de *cuirasses* y en francés los de *cuirie* o *paire de cuiraces* y *paire de plates*.[77] En castellano entró primero con el nombre de *fojas*, en atención a las launas o láminas que le daban fuerza.[78] Y con este nombre es designada desde *Las Siete partidas* hasta las crónicas de mediados del xv. El término *coraças*, sin duda designando lo mismo, o una defensa con ligeras variaciones respecto a las fojas, entró después, y en principio debía limitar su campo a los peones, como revelan el *Amadís* y el *Palmerín de Inglaterra*.

---

77 Véase Buttin, *Du costume*, págs. 240 y 254.

78 Nebrija, en el vocabulario castellano-latino registra: «*hoja de coraças o espada*: lamina».

Pero ya hemos observado que en estos dos libros de caballerías las fojas sólo las visten los gigantes y constituyen un elemento importante del «armamento jayán», que vamos configurando en otras piezas. El caballero, en el *Amadís*, sigue vistiendo la vieja y prestigiosa loriga, sea la anular o terliz, sea la *clouée* o de plaquitas metálicas, que nuestra novela designa con el nombre de arnés.

Las protecciones de las extremidades inferiores del caballero, o arnés de piernas, ya muy perfecto en el siglo XIII, no son mencionadas en el *Amadís de Gaula* más que en una ocasión:

I. ‹ ... la tomó [la lança] Galaor y fue herir a otro con ella en la cuxa de la pierna, y falsóle el arnés y la pierna y entró la lança por el cavallo (pág. 290, 237-241).

Se trata de un evidente catalanismo, de *cuxa* o *cuixa*, «muslo»; y la defensa de armadura que protegía esta parte de la pierna se llama en catalán, desde principios del siglo XIV, *cuixera*, y en el XV *cuixot*,[79] como en francés *cuissot*, de donde el castellano *quijote*, pieza del arnés de piernas en que se inspiró Cervantes para el nombre caballeresco de Alonso Quijano.

Creo indiscutible que la *cuxa* del pasaje citado del *Amadís* es la protección del muslo, ya que el contexto y la técnica del manejo de la lanza que antes hemos estudiado no abonan la afirmación de Leguina,[80] quien

[79] Cfr. Riquer, *L'arnès*, págs. 50 y 113.
[80] Leguina, *Glosario*, pág. 290.

143

cree que aquí se trata de la bolsita que se fijaba en la silla de montar o en el estribo y servía para afianzar en ella la lanza cuando se llevaba vertical.[81] Es rigurosamente cierto que *cuja* en castellano tuvo este sentido preciso y aún lo tiene entre los lanceros, pero la *cuxa* de nuestro texto no puede ser otra sino el quijote; y tenía razón Pascual de Gayangos cuando definió, en unas líneas que Leguina cita con ironía: «*cuja*: aquella parte de la armadura que cubría el muslo (cuisse, cuxa)».

La sobrevista, *las* sobreseñales *y el* gambax

Por encima de las armas o armaduras el caballero vestía una túnica ligera adornada con colores arbitrarios o con los esmaltes propios de su escudo heráldico. En el *Amadís de Gaula* esta túnica recibe los nombres de *sobrevista* y de *sobreseñales*. Pasajes en que aparece *sobrevista*:

II. ... conoçiéndole [a don Calaor] por una manga de la sobrevista, que india era y flores de argentería por ella (pág. 494, 558-561).

III. Y don Galaor conoçió a su hermano don Florestán por las sobrevistas de las armas (pág. 707, 139-141).

Pasajes en que aparece *sobreseñales*:

[81] Lo que en francés medieval se llamó *fautre*, término tan mal interpretado y definitivamente aclarado por Buttin, *La lance*, págs. 82-90.

II. ... mandó [Amadís] a Enil le fiziese fazer, en aquella villa cerca donde estava, unas armas, el campo verde y leones de oro menudos quantos en él cupiessen, con sus sobreseñales (pág. 450, 12-16).

III. ... y las armas, que un escudero le traýa, cortadas por muchos lugares, assí que las sobreseñales no mostravan de qué fuessen (pág. 721, 365-368).

III. ... un cavallero ... muy bien armado; y sobre su loriga vestía una sobreseñal verde que de una parte y otra se brochava con cuerdas verdes en ojales de oro (pág. 891, 37-42).

III. ... y desque vestió [don Grumedán] su loriga fuerte y muy blanca, vistió encima una sobreseñal de sus colores, que era cárdena y cisnes blancos (pág. 899, 596-600).

IV. ... fize hazer todas las otras armas que convienen con sus sobreseñales (pág. 1087, 200-202).

IV. ... y las sobreseñales de una seda colorada de muy biva color (pág. 1089, 412-414).

IV. ... Floyán, que lo conosció en las sobreseñales (pág. 1110, 302-303).

Que la sobrevista y las sobreseñales son lo mismo lo revela este texto:

III. Y el Cavallero Griego la levava de rienda, y armado de unas armas que Grasinda le mandara fazer, y la loriga era tal alva como la luna, y las sobreseñales de la mesma librea y colores que Grasinda

145

era vestida, y abrochávase de una y otra parte con cuerdas texidas de oro, y el yelmo y el escudo eran pintados de las mesmas señales de la sobrevista (pág. 881, 35-45).

Registremos que el término *sobreseñales* aparece en los fragmentos del *Amadís* primitivo (pág. 22).

El autor castellano de la *Historia troyana* de hacia 1270 emplea el término *sobreseñales* cuando ha de traducir pasajes del *Roman de Troie* en que aparece el término *conoissances*;[82] y *conoissances* es empleado en textos franceses de los siglos XII y XIII para indicar los emblemas heráldicos del escudo, señales gracias a las cuales se «conoce» al que lo embraza u ostenta.[83] Lo que los castellanos llamaban sobreseñales y sobrevista en los textos franceses es la *cote a armer* o *cotte d'armes*.[84]

El término sobreseñales aparece con frecuencia en la *Gran conquista de Ultramar*:

e tenía al su cuello un escudo de marfil muy claro e muy blanco e muy fuerte, en que avía pintado un león de oro... e d'estas mismas señales eran las coberturas e las sobreseñales e el pendón de la lança (Cooper, I, pág. 189).

... que ellos trayán los yelmos e los capacetes todos quebrantados de heridas e de porradas, e las sobreseñales rotas todas, e los escudos despedaçados, e las lorigas falsadas en muchos lugares (Cooper, II, pág. 26).

---

[82] Cfr. Riquer, *El armamento en el «Roman de Troie»*, pág. 491.
[83] Véase Schirling, *Verteidigungswaffen*, págs. 9-10 y 21.
[84] Véase Martín, *Armes et armures*, págs. 95-98.

... las sobreseñales e los pendones e las coberturas, que eran de muchas colores e de muchas maneras, demostraban tan gran apostura... (Cooper, II, pág. 203).

El *gambax*, en francés *gambais*, túnica que tanto se llevaba por encima como por debajo de la loriga y que aparece en textos castellanos de los siglos XIII y XIV con cierta frecuencia,[85] sólo lo encuentro mencionado una vez en el *Amadís de Gaula*, y no como prenda propia del armamento, sino como una veste civil y cortesana. En efecto, los çaballeros se han desarmado «para folgar»,

III. ... y la dueña dixo al rey: — Señor, ¿quál de aquéllos es Amadís? Y él le dixo: — Aquel del gambax verde (pág. 742, 479-483).

El escudo

El escudo que embraza el caballero y con el que primordialmente, cuando lucha montado, detiene o esquiva la lanza del adversario, es arma constante en el *Amadís* y pocas batallas se narran en él en que no sea mencionado o se le dé una función esencial.[86] Según

[85] Véase Giese, *Waffen*, pág. 107, y Riquer, *El armamento en el «Roman de Troie»*, págs. 488-490.

[86] En todo el *Amadís* sólo encuentro una mención de la *adarga*, y como protección de un hombre de vil condición: «Y tomando [el carcelero] una hacha y una adarga se fue contra él ... y Amadís le dio en el adarga assí que ge la passó, y el otro, que se tiró afuera, llevó la hacha en el adarga» (I, pág. 166, 372-391).

las pocas muestras de escudos medievales conservadas en museos sabemos que, haciendo ahora caso omiso de las diversas formas que revistió, era una plancha de madera ligera recubierta de cuero o de pergamino o de tela y por encima de todo de una capa de yeso sobre la que era factible pintar los emblemas heráldicos. En ciertos casos algunos elementos heráldicos eran representados con piezas metálicas (como picos y garras de animales) o piedras preciosas (ojos de leones o águilas).

Como todo lector del *Amadís* sabía perfectamente cómo era un escudo, que pervivió secularmente en justas y torneos, en la novela no se hace referencia alguna a su forma y a sus características principales. Era un arma ligera, como revela la facilidad con que la manejan los caballeros que luchan con ella; y a ello sólo encuentro una alusión: «... el escudo de Amadís, y ahunque harto liviano era» (IV, pág. 1261, 667-669).

Como ocurre con otras armas, el escudo propio de gigantes se diferencia, por su exageración, del que llevan los caballeros normales. El del gigante Balán se describe así:

IV.   ... como el escudo era, como se os ha dicho, muy grande y fuerte, todo lo más del cuerpo le cobría y de las piernas (pág. 1262, 776-779).

Más curioso es el escudo de Ardán Canileo, «de sangre de gigantes... y no era descomunalmente grande de cuerpo, pero era más alto que otro hombre que gigante no fuesse» (pág. 524, 328-333), pues es de acero, material insólito en la confección de esta arma:

II. ... el escudo de Ardán Canileo que, como de azero fuesse y los golpes de Amadís tan pesados, no pareçía sino que el scudo y braço en bivas llamas se quemava (pág. 532, 932-936).

Y poco después, cuando luchan, Amadís quita el escudo a Ardán Canileo y lo embraza él, y el hombre gigantesco lo golpea y lo hiende en parte «ahunque muy fuerte era y de fino azero» (II, pág. 535, 1127-1128). El fantástico escudo de acero, pues, es arma propia de gigantes.

Hallo también esta característica en el *Palmerín de Inglaterra*:

El gigante... fuesse a él cubierto de su escudo aforrado e guarnecido de acero, con su maza en la mano (pág. 68b).

El caballero sujetaba el escudo por medio de dos juegos de correas clavadas en la cara posterior del arma, y la acción de sujetarlo así con el brazo se expresa con el verbo *embraçar*.[87] Uno de estos juegos de correas, que no se percibía desde el exterior, era una abrazadera, por la cual el caballero pasaba el brazo izquierdo, pieza dicha en francés *enarmes*. El otro juego era una correa también fijada por sus cabos en el interior del escudo, pero más larga y que el caballero llevaba rodeada al cuello, y así no tan sólo aumentaba la eficacia de la abrazadera, no perdía el escudo si ésta se rompía o se

[87] Cfr. II, 406, 58, y 582, 1092; III, 937, 746; IV, 1267, 74. Es un verbo muy frecuente en textos castellanos, ya desde el *Cantar del Cid* (cfr. Giese, *Waffen*, pág. 98).

escurría del brazo, sino que podía dar al arma ofensiva el deseado equilibrio. Este segundo juego se llama en francés *guige*.

En el *Amadís de Gaula* el primer juego (las *enarmes*) recibe los nombres de *braçales* y *embraçadura*, y el segundo (la *guige*) el de *tiracol*:

I.   ... hirió al uno por cima del escudo y cortóselo fasta la embraçadura, y la espada alcançó en el ombro (pág. 48, 634-637).

I.   ... y Galaor passó tan aýna que no lo alcançó sino en el brocal del escudo, y quebrando los braçales y el tiracol ge lo fizo caer en tierra (pág. 99, 38-42).

II.   Y Beltenebrós quitara el escudo del cuello teniéndole por las embraçaduras (pág. 462, 854-856).

II.   Quando esto Ardán Canileo vio, arredróse d'él por el campo y tomó el escudo por las embraçaduras y, esgrimiendo la spada, dio una gran boz (pág. 534, 1062-1067).

IV.   ... tomó por las embraçaduras el escudo del gigante (pág. 1261, 691-692).

Como es lógico, la inutilización del tiracol quita eficacia al escudo:

I.   ... dio al subrino del duque tal golpe que le cortó el tiracol del escudo ... mas el otro cubríase con el escudo, que aquel menester avía mucho usado; pero como el tiracol avía cortado, no pudo tanto hazer que la su cabeça no satisfiziesse a la saña de don Galvanes, quedando quasi desfecha y su amo en el suelo muerto (pág. 309, 338-359).

En *Li chevaliers de la charrete* de Chrétien deTroyes, un caballero, al hacer un juramento, se augura desgracias militares si no lo cumple, y entre ellas:

> Einz iert de mon escu la guige
> rompue et totes les enarmes.[88]

El tiracol sólo lo encuentro en el libro primero del *Amadís*, en contraste con las embraçaduras, que se emplean hasta el cuarto. Sospecho que, aunque aquel término no era desconocido y aparece en su recto sentido en la *Gran conquista de Ultramar*,[89] Montalvo desconocía su verdadera función. En este sentido es curioso que el prosista medinés, en *Las sergas de Esplandián*, se refiera a esta pieza del escudo así:

Entonces fue a cortar una rama de un árbol, la que más le pareció aparejada para su obra, y hizo d'ella un arco, y puso en él una cuerda de seda, de las que en los escudos traían, con que a los cuellos los echaban (pág. 438b).

Y poco antes ha afirmado que el tiracol sirve para sujetar el yelmo, cosa inadmisible:

... y tomando a los dos caballeros por los tiracoles de los yelmos, llevólos hacia sí (pág. 435b).

---

[88] Versos 1720-1721; edición Roques, pág. 53.
[89] Véase Giese, *Waffen*, pág. 97.

Un único indicio ofrece el *Amadís de Gaula* para hacernos una idea del tamaño de los escudos que embrazan los caballeros de la novela. Se trata de un pasaje que ya se ha aducido en relación con el yelmo:

I.   Entonces, del sueño vencido, puso su yelmo a la cabeçera y el escudo encima de sí. Adormescióse ... (pág. 214, 178-180).

Este escudo, para que pueda resguardar a don Galaor del frío de la noche, no puede ser muy pequeño, y no inferior a los 60 y 70 centímetros de alto, en uso entre 1300 y 1360.[90] Algo similar hace Lancelot en un episodio de *La queste del Saint Graal*, pero en vez de cubrirse con el escudo se acuesta encima de él, sin duda para protegerse del relente del suelo:

... et deslace son hiaume et le met devant soi, et oste s'espee et se couche sor son escu ... et s'endort assez legierement (Pauphilet, pág. 58).

Para denotar que el caballero está presto para la lucha, entra en ella o ya se encuentra en plena batalla se indica que lleva el escudo sujeto al cuello por el tiracol: y en estos casos basta con mencionar el «cuello» y no es preciso hacer referencia al tiracol. En este sentido son explícitos estos pasajes:

I.   ... y entró dentro por la cueva, su escudo al cuello y el yelmo en la cabeça y la espada desnuda en la mano (pág. 165, 315-318).

---

[90] Cfr. Galbreath-Jéquier, *Manuel du blason*, pág. 82.

I.   Y allí vio estar el rey un cavallero negro ... y al cuello un escudo verde y el yelmo otrotal (pág. 276, 292-296).

III.   ... y echó su escudo al cuello y tomó una lança gruessa y buena (pág. 846, 196-198).

IV.   ... puso su yelmo y echó su scudo al cuello (pág. 1258, 460-461).

Esto es constante en las novelas francesas del siglo XIII. Veamos un ejemplo del *Lancelot*:

Lors issent des paveillons jusqu'a ·x· chevaliers tos armés, les escus as cols, les lances es poins ... (Micha, II, pág. 117).

Y otro de *L'estoire del Saint Graal*:

... si ot le heaume en la teste et l'escut au col et tint un glave enpoignié (Sommer, I, pág. 52, 8-9).

También se hace mención del «cuello» cuando un caballero ya no necesita el escudo o llevarlo le es molesto:

I.   Y echando el escudo del cuello y la espada de la mano, hincó los ynojos ante ella (pág. 29, 301-303).

I.   ... fuyó y ... firió rezio al cavallo de las espuelas y echó el escudo del cuello por se yr más aýna (pág. 103, 303-312).

Galaor, cuando quiere evitar una batalla, no se desprende del escudo, pero lo echa a las espaldas para denotar que no está presto a luchar:

I.   Galaor tornó, mas echado el escudo a las espaldas, quando lo sintió cerca de sí sacó aýna el cavallo de la carrera y apartóse (pág. 287, 41-44).

Algo así hacen, en el *Lancelot*, unos caballeros que no quieren justar más:

... si osten lor escus des cols et les getent a terre et dient qu'il ne bo-horderont hui mes (Micha, I, pág. 92).

Al enemigo cancelante o vencido se le quita el escudo del «cuello»:

I.   Después tiráronle el escudo del cuello y el yelmo de la cabeça y echáronle una gruessa cadena a la garganta (pág. 277, 372-375).

III.   ... don Florestán dexó caer la lança y tiró por el escudo tan rezio que ge lo sacó del cuello (pág. 848, 380-382).

III.   Y como assí lo vio, passó presto la spada a la mano siniestra, y travóle del escudo y llevóselo del cuello (pág. 888, 520-523).

En la lucha los escudos reciben cortes y abolladuras y, sobre todo, se «falsan». El verbo *falsar*, como ya sabemos, es frecuentísimo en el *Amadís* para indicar que escudos, lorigas y otras armas defensivas son deterioradas por la lanza o la espada del enemigo, y no falta en las descripciones de combates (ya desde I, pág. 47, 632). Tengo la impresión que *falsar* es un poco vago, y equivale las más de las veces a «estropear», aunque en algunos pasajes tiene el valor de «atravesar», como aquí:

II.   Don Bruneo llevó metido por el escudo una parte de la lança, que ge lo falsó y le fizo una pequeña ferida en el pecho (pág. 538, 42-45).

No raramente en plena batalla los escudos golpeados se astillan y las astillas producidas, que suelen caer al suelo, son llamadas *rachas*[91] en el libro primero del *Amadís*, y *rajas* en el libro segundo:

I.   De los escudos cayan en tierra muchas rachas, y de los arneses muchas pieças, y los yelmos eran abollados y rotos (pág. 60, 202-205).

I.   Ellos cortavan los escudos, haziendo caer en el campo grandes rachas, y abollavan los yelmos y desguarneçían los arneses (pág. 78, 141-145).

II.   ... y los scudos desfechos, en los braços, sembrando el suelo de las rajas d'ellos (pág. 538, 68-70).

II.   ... así que en poco rato los paró tales que los escudos eran fechos rajas[92] y las lorigas rotas por muchos lugares (pág. 583, 1112-1115).

Lo mismo ocurre en el *Lancelot*:

... si pert bien a la terre ou il passent, quar toute estoit couverte de

---

[91] Así en la *Gran conquista de Ultramar* (véase Giese, *Waffen*, pág. 97) y en el *Libro de Alexandre* (cfr. Corominas, *DCELC*, III, pág. 980) y en otros textos más o menos caballerescos.

[92] En el impreso de Zaragoza de 1508 se lee *rajes*, evidente errata.

pieces d'escus et dez mailles de lor haubers (Sommer, V, pág. 390, 26-27).

Y en *La queste del Saint Graal*:

Si se despiecent les escuz amont et aval et en font voler a la terre granz corpiax [*variante*: chantiax] et se desrompent les haubers sus les braz et sus les hanches (Pauphilet, pág. 173).

Con frecuencia, y en los cuatro libros del *Amadís de Gaula*, se hace mención de una parte de escudo denominada *brocal*. Con el fin de determinar qué era, en nuestra novela, véanse primero algunos de los pasajes en que aparece:

I. ... tomóle por el brocal del escudo y púsole la punta de la espada en el rostro (pág. 91, 150-152).

I. ... tomóle por el brocal del escudo y tiróle tan rezio que lo derribó en tierra (pág. 150, 666-668).

I. ... mas alcançólo y travándole por el brocal del escudo lo tiró tan rezio contra sí que lo derribó ante sus pies (pág. 221, 116-119).

I. ... y diole un gran golpe por cima del brocal del escudo, que entró la espada por él una mano, assí que la no podía sacar (pág. 221, 152-155).

I. ... y el cavallero lo herió en el brocal del escudo en soslayo, assí qu'el encuentro no prendió y quedó allí la lança sana (pág. 228, 336-339).

I.   ... y el otro le quiso herir por cima de la cabeça. El rey alçó el escudo, donde recibió el golpe y fue tal que la espada entró por el brocal bien un palmo, y alcançó con la punta d'ella al rey en la cabeça, y cortóle el cuero y la carne hasta el huesso (pág. 291, 309-316).

I.   Agrajes fue al duque y diole con la spada en el brocal del escudo, y la espada descendió al pescueço bien un palmo; y al tyrar d'ella hoviéralo llevado de lla silla. Mas el duque tiró presto el escudo del cuerpo y dexólo en la espada, y tornó a huyr quanto más pudo (pág. 309, 382-390).

I.   ... y el cavallero quebrantó su lança, y Florestán le fizo dar del brocal del escudo en el yelmo, que le fizo quebrar los lazos y derribógelo de la cabeça (pág. 347, 170-175).

II.   ... el cavallero lo firió en el brocal del escudo, assí que el golpe fue en soslayo y metió por él un palmo de la espada, y quando la quiso sacar no pudo (pág. 383, 406-410).

II.   Amadís furtó el cuerpo y fízole perder el golpe, y juntó tan presto con él, sin que el otro pudiesse meter en medio la spada, y travóle del brocal del escudo tan rezio, que ge lo levó del braço, y oviera dado con él en el suelo (pág. 535, 1111-1118).

II.   ... fue por él y pensóle ferir por cima del yelmo. Amadís alçó el escudo y recibió en él el golpe, y ahunque muy fuerte era y de fino azero, entró la spada por el brocal bien tres dedos (pág. 535, 1124-1130).

III.   Y el Cavallero Griego lo firió so el brocal del escudo y falsógele, y la lança topó con unas hojas fuertes y no las pudo passar (pág. 884, 239-243).

IV.   ... dio tal golpe en el brocal del escudo que ge lo fizo dos pedaços (pág. 1101, 481-483).

IV.   ... y la espada cortó tan livianamente que desde el brocal hasta
ayuso le llevó el un tercio del escudo (pág. 1259, 560-563).

IV.   ... diole otro gran golpe encima del brocal del escudo, pensan-
do darle en la cabeça, y no pudo, que·l gigante, como el golpe vio
venir tan rezio, alçó el escudo para lo en él recebir, y la espada entró
tanto por él que quando Amadís la pensó sacar, no pudo; y el gigante lo pensó herir, mas no pudo levantar el braço sino muy poco, de
manera que el golpe fue flaco. Estonces Amadís tirava por la spada
quanto podía, y el gigante por el escudo, assí que con la gran fuerça
del uno y del otro convino que las correas con que lo tenía al cuello
quebrassen, y llevó Amadís el escudo con su spada (pág. 1260, 616-
633).

Existen dos interpretaciones del brocal del escudo.
Una de ellas hace al brocal sinónimo de *bloca* o *broca*,
saliente metálico situado en el centro del escudo, en
latín *umbo* y en francés *boucle* (de donde *bouclier*).[93] La
segunda define *brocal* como «ribete de acero que guarnece el escudo».[94] Esta segunda interpretación es hoy
día puesta en tela de juicio.[95]

[93] Para esta sinonimia véase Menéndez Pidal, *Cantar del Cid*, II,
pág. 653, y Giese, *Waffen*, págs. 96-97.
[94] Diccionario académico, s.v. *brocal*, cuarta acepción. En Leguina, *Glosario*: «*brocal del escudo*: ribete de acero que le guarnece
por el borde».
[95] Dice de ella Corominas, *DCELC*, I, pág. 524, que «no está
bien asegurada por el contexto de los ejemplos, ya que podría tratar-

No se trata de negar aquí que en algunos textos medievales *bloca* y *brocal* fueran sinónimos y designaran únicamente la guarnición de metal que llevaba el escudo en el centro; y ello es de toda evidencia en el *Cantar del Cid*, donde aparece bloca, pero no brocal. La *bocle*, naturalmente, se menciona en el *Roman de Troie*, escrito entre 1154 y 1173, y el traductor castellano, en la *Historia troyana* de hacia 1270, la vierte por *blocal* y *brocal*.[96] Ahora bien, cuando trabajaba este traductor castellano el *umbo-bloca* ya había desaparecido de los escudos. Observó Demay: «L'umbo se voit pour la derrière fois sur les sceaux de Richard Coeur-de-Lion et de Richard de Vernon, en 1195».[97]

Examinemos los pasajes del *Amadís* que acabamos de reunir, y advertiremos que el brocal puede recibir el golpe de la espada del adversario cuando ésta va dirigida a la cabeza del que embraza el escudo; que cuando un caballero recibe un golpe muy fuerte el yelmo puede chocar violentamente con el brocal; que la espada, al dar sobre el brocal, puede hendir el escudo tres dedos, o una mano o un palmo, e incluso el arma defensiva puede partirse en dos pedazos; y que cuando el adversario tira del brocal o lo agarra con fuerza puede arrebatar el escudo al que lo embraza. Es de total evidencia que todo ello no sería posible ni imaginable si el brocal fuera el *umbo-bloca*, elemento que es muy difícil que tope con el yelmo del caballero y que haría incó-

---

se de la bloca o guarnición de metal que llevaba el escudo en su centro».

[96] Cfr. Riquer, *El armamento en el «Roman de Troie»*, pág. 492.

[97] Demay, *Le costume*, pág. 141.

modo y muy poco eficaz que el adversario agarrara e hiciera fuerza en él, y que difícilmente recibiría un golpe o se hendiría cuando la espada viene de arriba apuntando a la cabeza del que embraza el escudo.

Otros pasajes del *Amadís* corroboran cuanto vamos deduciendo y precisan el sentido que tiene en nuestra novela el brocal. En los brocales podían figurar inscripciones:

III. No creáys que tan ligeramente los escudos allí se pusieron, que antes que sean quitados avrán ganado por el gran esfuerço de sus señores todos los otros que por aquí passaren que defenderse les quisieren, para los levar a Roma, y los nombres de los cavalleros cuyos fueron, escritos en los brocales en señal que paresca la bondad que los romanos han sobre los cavalleros de otras tierras. Y si queréys guardaros de·n vergüença caer, tornadvos por do venistes, y no será levado vuestro escudo y nombre donde con pregón vuestra honrra será menoscabada (pág. 845, 134-151).

III. ... por vuestra mano y de la sangre vuestra y de vuestros compañeros scriváys vuestro nombre y los suyos en los brocales de los escudos (pág. 850, 550-554).

Este detalle lo encontramos también en el *Palmerín de Inglaterra*:

... vio que un caballero grande de cuerpo y bien entallado quería passar, y otro le defendía el passo, diciendo que si la quissiesse passar [la puente] dejasse el escudo que traíe con su nombre escrito en el brocal, y entonces passaría, «porque assí es la costumbre de la fortaleza» (pág. 130a).

Junto con ellos cuatro caballeros de mármol armados de las propias armas y devisas de los otros passados que aguardadores solían ser, que como fuessen grandes, de aparencias espantosas y miembros aparejados a fuerzas, daban mucha honrra al vencedor; en los brocales de los escudos estaban escritos los nombres de cada uno según lo que guardaba (pág. 236a).

Todo ello no es una fantasía de autores de libros de caballerías. En el Landsmuseum del Tirol se conserva un escudo del Gran Maestre de la Orden Teutónica, fechable hacia 1320, en cuyo borde completo se lee, con mayúsculas: *Clippeus cum galea magistri Ordinis Fratrum Theutonicorum*; y en el Metropolitan Museum de Nueva York se exhibe una tarja, fechable hacia 1400, toda ella rodeada en su borde por letras góticas, en el que sólo se percibe *Io harr* y *las uber gan*.[98]

El brocal que tantas veces aparece mencionado en el *Amadís de Gaula* era, pues, un refuerzo del escudo que hacía más resistente la parte superior del arma, la que recibía los más temibles golpes de la espada, y que a pesar de ello cedía ante la contundencia o el filo del arma ofensiva y se resquebrajaba de tal suerte que la hendidura producida podía proseguir hasta un palmo hacia el centro del escudo e incluso seccionarlo en dos pedazos. Que este refuerzo fuera metálico es posible, pero me induce a dudarlo el hecho de que tantas veces sea roto por las espadas. Este brocal era lo suficientemente ancho para poder recibir breves inscripciones

[98] Véase H. Nickel, *Der mittelalterliche Reiterschild des Abendlandes*, Berlín, 1958, págs. 61-64, e ilustraciones 64 y 66.

(un nombre personal) que se leyeran a una prudente distancia. Como en los textos de nuestra novela en que se menciona el brocal éste siempre protege la parte superior del escudo, no podemos concluir que fuera un borde u orilla que circundara todo el escudo, aunque esto realmente existió y se observa en el escudo teutónico de hacia 1320 y en la tarja de hacia 1400 que acabamos de considerar. En este aspecto recoge Neubecker, tratando del escudo medieval: «un autre renforcement courait le long du bord, de façon à parer les coups les plus rudes. La bordure semble avoir eu une réelle importance puisqu'on prêta serment sur elle».[99]

Lo hasta ahora determinado sobre el brocal y que, en nuestra novela, era un refuerzo de la parte superior del escudo queda plenamente demostrado por un pasaje de los pocos fragmentos conservados del *Amadís* primitivo, correspondiente al libro tercero y al capítulo LXXII del texto publicado por Montalvo. De acuerdo con la refundición de éste el Cavallero de la Verde Espada (Amadís) es interpelado por Bradansidel, que le exige que muera o que cabalgue «aviessas», o sea al revés: «llevando la cola en la mano por freno y el escudo al revés» (III, pág. 784, 140-142). Luchan, el Cavallero de la Verde Espada lo derriba y a su vez le conmina a que muera o que «passéys por la ley que señalastes» (pág. 785, 187-188). Montalvo ha resumido el texto del *Amadís* primitivo, donde el héroe dice a Bradansidel:

Vós me prometist[e]s que me mataríades o que me faríades levar el

[99] O. Neubecker, *Le grand livre de l'héraldique*, pág. 59.

escudo al cuello, el cospe contra suso et el blocar contra yuso, e que
me faríades levar el rrabo del cavallo en la mano por freno (pág. 20).

Así pues, para significar que un escudo está al revés
(«aviessas») se dice que tiene el «cospe» arriba («contra
suso») y el «blocar» abajo («contra yuso»), lo que quiere
decir que cuando el escudo se encuentra en su posición
normal el «cospe» está abajo y el «blocar» arriba. El blocar es, evidentemente, el brocal, y adviértase que sólo
refuerza la parte superior del escudo, y no todo su contorno, porque si así fuera la expresión carecería de sentido (pues el brocal seguiría por la parte inferior); y todo ello corrobora, una vez más, que el brocal del
Amadís no es el umbo, ya que esta pieza va precisa-
mente en medio del escudo y, por lo tanto, está en la
misma posición cuando el escudo está en su posición
normal y cuando está invertido. Por lo que afecta a *cospe*, voz que no aparece en el *Amadís* refundido por
Montalvo, es, sin duda, lo mismo que *guaspa*, que significa contera, en nuestro caso aplicado a la parte inferior del escudo.[100]
Señalemos que la rara exigencia de Bradansidel
queda perfectamente iluminada por un pasaje del *Perlesvaus*, en que es presentado el Coarz Chevaliers, que
más adelante se convertirá en el Hardi Chevalier. Entra en escena

[100] Véase Leguina, *Glosario*: «*guaspa*: contera». Corominas,
DECLC, I, pág. 721, relaciona *cospa*, «contera de una arma», con
guaspa, que tanto en castellano como en catalán tiene el mismo sentido.

en molt sauvage maniere: car il chevauchoit ce devant derriere, e avoit les resnes de son frain tres parmi son piz, e portoit le pié de son escu desus e le chief desoz, e son claive ce devant derriere, e son hauberc e ses chauces de fer trossees a son col (Nitze, pág. 78, 1353-1357).

La expresión «le pié de son escu desus et le chief desoz» corresponde a la del *Amadís* primitivo: «el cospe contra suso et el blocar contra yuso».

Y por último, todo cuanto hemos concluido queda corroborado por este pasaje del libro cuarto del *Amadís*:

IV. Amadís estovo en aquel lugar donde antes estava, puesto el canto del escudo en el suelo y la mano sobre el brocal, y la espada en la otra, esperando de morir antes que se dexar prender (pág. 1265, 947-952).

Para mí resulta enigmático un pasaje del *Amadís de Gaula* en que el rey Cildadán, al ser atacado por un caballero,

alçó el escudo en que lo recibió [el golpe], y fue tan grande que la espada entró por él hasta el medio y le cortó el arco o cerco de azero (IV, pág. 1156, 207-210).

Sería tentador identificar este «arco o cerco de azero» con un brocal que circundara todo el contorno del escudo, y el primer sustantivo podría referirse a la forma vagamente arqueada de aquel elemento. Permítaseme una muy temeraria hipótesis: el rey Cildadán, que llevaba este escudo con «arco o cerco», era de san-

gre de gigantes (cfr. II, pág. 467, 170-175; pág. 540, 263),
y en el *Palmerín de Inglaterra* leemos:

no tardó mucho que el gigante bajó armado de unas armas fuertes,
en una mano un escudo aforrado en arcos, de donde salían unas
puntas de yerro que nenguna cosa que se les paraba delante que no des-
hiciessen (pág. 46b).

le dio [al jayán] por cima del escudo, a do le hizo poco daño por ser
cerrado de unos arcos tan fuertes que no se podían desbaratar (pág.
201b).

estaba un jayán de demasiada estatura, cubierto de hojas de acero
negras estremadamente fuertes; cubríale un escudo grande y fuerte
y pesado, cercado a la redonda de unos arcos de acero muy fuertes
(pág. 229a).

Como en los libros de caballerías se pueden espe-
rar las mayores sorpresas, no sería temerario concluir
que estos raros escudos «cercados de arcos» o con «arcos o cerco» formaran parte del arnés de los gigantes,
los cuales, como se ha consignado, también embraza-
ban escudos de acero, distintos de los empleados por
los mortales normales.

La heráldica

Con frecuencia, y en los cuatro libros del *Amadís de
Gaula*, sobre el escudo van pintados emblemas heráldicos de tipo personal. Estos emblemas, llamados «ar-

mas» o simplemente «escudo», sirven para identificar a los caballeros, como se advierte en estos pasajes:

I. — ¿Conocistes qué armas traýa? — No — dixo ella —, que el escudo era despintado de los golpes; mas pareçióme que havía el campo de oro (pág. 123, 46-50).

I. Vieron a Galaor y conoçiéronlo en el escudo (pág. 290, 195-196).

I. — Sobrino — dixo el rey —, tomad vós d'essos cavalleros los mejores y los que más os contentaren; y tomad este mi escudo, porque con más acatamiento os obedezcan (pág. 300, 240-245).

III. ... y como vio el escudo de Amadís conosciólo luego (pág. 680, 135-136).

IV. Y como llegó luego los conosció en las armas (pág. 1102, 554-555).

Esto, naturalmente, ocurre con gran asiduidad en las novelas francesas del siglo XIII. En el *Roman de Tristan*:

Quant il le voient venir, il le recognoissent maintenant, mes il ne cognoist pas euls, por ce qu'il avoient changiées leur armes nouvellement (Blanchard, pág. 180).

Et maintenant qu'il voit l'escu, il cognoist que ce est Mordret (Blanchard, pág. 205).

En el *Perlesvaus*:

166

Perlesvaus choisist le chevalier, et connut l'escu tel com en li ot devisé (Nitze, pág. 405, 10074-10075).

El héroe, Amadís de Gaula, usa un escudo propio y otro distinto cuando disimula su personalidad bajo el nombre de Beltenebrós. Las armas propias de Amadís son así:

I.   Y el escudo que él llevava havía el campo de oro y dos leones en él azules, el uno contra el otro, como si quisiessen morder (pág. 77, 77-81).

I.   ... él tuvo en la batalla del rey Abiés un escudo que havía el campo de oro y dos leones azules en él, alçados uno contra otro (pág. 123, 52-55).

II.   ... y el escudo havía el campo de oro y dos leones cárdenos en él (pág. 390, 98-100).

III.   Las armas eran muy ricas y havían el campo de oro y leones cárdenos, y las sobreseñales de aquella guisa (pág. 768, 875-878).

Como puede verse, en los libros segundo y tercero se substituye «azules» por «cárdenos», color sobre el que trato más adelante. Así pues, las armas de Amadís, en el libro primero, traen en campo de oro dos leones de azur afrontados o batallantes. Los leones están en su posición heráldica normal, o sea rampantes.

Escudo de Amadís

Cuando Amadís disimula su personalidad con el nombre de Beltenebrós toma la lógica providencia de hacerse confeccionar un escudo distinto para no ser reconocido:

II.   Mandó a Enil le fiziese fazer, en aquella villa cerca donde estava, unas armas, el campo verde y leones de oro menudos quantos en él cupiessen (pág. 450, 12-16).

Llevando este escudo, y con el nombre de Beltenebrós, Amadís, entre otras aventuras, mató a dos temibles gigantes (II, págs. 457-464), a lo que se alude mucho más tarde:

IV.   Amadís fue armado de unas armas verdes, tales quales las levava al tiempo que mató a Famongomadán y a Basagante, ... todas sembradas muy bien de leones de oro (pág. 1090, 420-427).

El escudo de Amadís-Beltenebrós trae, pues, campo de sinople sembrado de leoncillos de oro.

Don Galaor, hermano de Amadís, luce estas armas:

I.   Un cavallero que va en un cavallo vayo y lieva un escudo blanco y una flor bermeja (pág. 188, 93-95).

Trae, pues, don Galaor, en campo de plata una flor de gules. Don Florestán, medio hermano de Amadís y de Galaor, aparece con dos escudos distintos. En los libros primero y tercero:

I.   ... un escudo bermejo y dos leones pardos en él (pág. 322, 123-124).

I.   ... un cavallero de unas armas bermejas y leones pardos (pág. 322, 162-163).

III.   Aquel de las armas coloradas y leones blancos es don Florestán (pág. 707, 148-149).

Combinados los tres textos podríamos blasonar este escudo así: de gules dos leopardos de plata. El mismo animal en las armas del caballero Gandalod:

II.   ... y a su cuello tenía un escudo blanco y un león pardo en él (pág. 406, 62-63);

El segundo escudo de don Florestán es el siguiente:

IV.   Don Florestán... levó unas armas coloradas con flores de oro por ellas (pág. 1090, 442-444).

Lo que se blasona: de gules sembrado de flores de oro.

En el *Amadís* no encuentro descritas las armas del rey Perión, pero en un momento determinado este rey y sus hijos Amadís y Florestán llevan ocasionalmente unos emblemas que recuerdan las brisuras, tan usadas en blasones ingleses y franceses y por las que se establecen relaciones de parentesco. Se mencionan con detalle en estos pasajes:

III.   La donzella fizo a sus escuderos desliar el lío que el palafrén traýa y sacó d'él tres scudos, el campo de plata y sierpes de oro por él, tan estrañamente puestas que no pareçían sino bivas, y las orlas eran de fino oro con piedras preciosas. Y luego sacó tres sobreseñales de aquella misma obra que los escudos y tres yelmos, diversos unos de otros, el uno blanco y el otro cárdeno y el otro dorado. El blanco con el un escudo y su sobreseñal dio al rey Perión y el cárdeno a don Florestán y el dorado con lo otro a Amadís (pág. 724, 599-614).

III.   Sabed que los tres cavalleros de las armas de las sierpes que demandáys somos yo [el rey Perión] y Amadís y don Florestán. Y yo llevava el yelmo blanco y don Florestán el cárdeno y Amadís el dorado (pág. 753, 1239-1244).

El escudo que llevan los tres es el mismo: de plata sierpes de oro y orla de oro, con lo que se infringe la ley heráldica, que prohíbe metal sobre metal. Los tres caballeros se distinguen por el esmalte del yelmo: el del padre, el rey Perión, blanco, y los de los hijos don Florestán cárdeno y Amadís dorado. Todo ello tiene un carácter más ornamental que rigurosamente heráldico.

Conocidas son las grandes dificultades que a veces

surgen cuando se intenta precisar las tonalidades exactas que pueden significar voces medievales que designan los colores. Las descripciones heráldicas del *Amadís de Gaula* nos plantean el grave problema del valor del *indio* en su relación o diferenciación con el *cárdeno*. Respecto a este último, podríamos llegar a una conclusión apresurada si tenemos en cuenta que los leones del escudo de Amadís son «azules» en el libro primero de la novela y «cárdenos» en el segundo y tercero, lo que llevaría a la lógica conclusión de que se trata de sinónimos y que, por lo tanto, cárdeno significa azul. Pero como sea que más de una vez encontraremos discrepancias de esmaltes heráldicos, y ya veremos que las flores del escudo de don Quadragante son de oro en el libro segundo y de plata en los libros tercero y cuarto, y que en las segundas armas de Angriote d'Estravaus los veros son de plata y oro en el libro tercero y de azul y plata en el cuarto, podemos sospechar, en principio, que el color azul y cárdeno de los leones de Amadís no sean sinónimos.

En el *Amadís de Gaula* encontramos el color indio en varios escudos:

En las armas del rey Abiés de Yrlanda:

I. Y el rey Abiés echó un escudo al cuello que tenía el campo indio y en él un gigante figurado y cabe él un cavallero que le cortava la cabeça (pág. 77, 93-97).

II. ... havía el campo indio y un gigante en él figurado, y cabe él un cavallero que le cortava la cabeça, y conoçió ser aquel del rey Abiés de Yrlanda (pág. 364, 244-248).

En las armas de don Quadragante, hermano del rey Abiés:

II.   ... tanbién havía el campo indio y tres flores de oro en él (pág. 364, 251-252).

II.   ... y miró el escudo del cavallero y vio que avía en él tres flores de oro en campo indio, y conoscióle ser don Quadragante (pág. 452, 139-143).

III.   ... aquel que tiene el campo indio y flores de plata es don Quadragante (pág. 707, 152-154).

IV.   Don Quadragante sacó unas armas pardillas y flores de plata por ellas (pág. 1090, 433-435).

Y en las primeras armas que se adscriben a Angriote d'Estravaus:

III.   ... y el de las armas indias y flores de oro y leones cárdenos es Angriote d'Estravaus (pág. 707, 149-152).

Si admitimos que indio, o índigo, es el azul y que cárdeno es también azul (como hubiéramos podido deducir de los leones del blasón de Amadís), nos hallamos aquí ante un contrasentido, principalmente por tratarse de un pasaje del libro tercero en el que se dice que son cárdenos, y no azules, los citados leones del protagonista de la novela.

Podemos dar como seguro y admitido que el *indio*, o índigo, es el azul; y que el *cárdeno*, amoratado o violáceo, es el que en heráldica recibe el nombre de púrpura y constituye un esmalte heráldico muy raro pero conocidísimo en España porque es el color propio de los leones del reino de León.[101]

Cuando fue redactado el primer libro del *Amadís de Gaula*, al protagonista de la novela se le adjudicó un escudo en el que figuraban dos leones de azur, cosa normal y que no llama la atención. Pero al redactarse los libros segundo y tercero el mismo autor del primero, un hipotético continuador o un no menos nebuloso refundidor, quiso hacer más ilustre el blasón de Amadís, y como sabía perfectamente que los leones heráldicos del reino de León eran de púrpura transformó los leones de azur en leones de aquel color, al que dio el nombre, perfectamente aceptable, de cárdeno.

A una reflexión similar nos conduce las armas de don Quadragante, que ya hemos visto que en el libro segundo del *Amadís* traen en campo de azur tres flores de oro (II, pág. 364, 251-252 y pág. 452, 139-143). No hay duda que este escudo reproduce uno de los blasones más ilustres de Europa, el de los reyes de Francia: de azur tres flores de lis de oro. Y ahora no parece ocioso recordar que el escudo real de Francia trajo, en sus orígenes, campo de azur sembrado de flores de lis de oro, y que la reducción a tres flores, aunque tiene aislados precedentes desde principios del siglo XIV, es bien cierto que no fue divulgada y adoptada oficialmente en las monedas y en los sellos de la Cancillería hasta el rei-

[101] Para indio y cárdeno véase M. de Riquer en «Boletín de la Real Academia Española», LX, 1980, págs. 419-422.

nado de Carlos V de Francia, por lo menos desde 1376.[102]

Angriote d'Estravaus no tan sólo ostenta, en el *Amadís*, las armas «indias y flores de oro y leones cárdenos», que ya hemos considerado, sino que, como ocurre con gran frecuencia en el roman caballeresco francés, a veces lleva un escudo distinto:

III. Y Angriote d'Estravaus yva en un cavallo rezio y ligero y levava unas armas de veros de plata y de oro (pág. 882, 50-53).

IV. El bueno de Angriote no quiso mudar sus armas de veros azules y de plata (pág. 1090. 449-451).

El segundo pasaje parece una enmienda del primero hecha por quien tiene más conocimiento de la heráldica o por quien escribe en tiempos en que las normas del blasón se van generalizando; pues de hecho los veros propiamente dichos sólo pueden ser de plata y de azur, y los «veros de plata y de oro», mencionados en el libro tercero, probablemente hubieran extrañado en el siglo xv, cuando tan bien se sabía que no se podía blasonar metal sobre metal. Repitiendo la doctrina más recibida escribe mossén Diego de Valera en el *Tratado de las armas*:

[102] Cfr. Neubecker, *Le grand livre de l'héraldique*, pág. 98; y para los precedentes de la reducción a tres flores de lis véase la importante introducción de J.-B. de Vaivre a la reimpresión del libro de Demay, *La costume au Moyen Age d'après les sceaux*, París, págs. xxv-xxvi.

E assimesmo es aquí de saber que los armiños deven ser blancos y negros, la parte mayor blanca, e los veros blancos e azules; e quando acaece que alguno trae veros o armiños de otros colores no se deve dezir veros ni armiños, mas dévese dezir «porta veré o armiñé», o en nuestra lengua «trae armiñado o verado».[103]

Así, en el libro tercero del *Amadís* se tendría que haber escrito «verados» al blasonar el escudo de Brontaxar:

III.   Este traýa armas ... de veros de oro y colorado (pág. 729, 982-985).

Infringen la citada ley heráldica y las más elementales leyes de visibilidad, condición básica en cualquier escudo, las armas de Arcalaus el Encantador, tal vez el perverso más perverso de todo el *Amadís*, y en su creación influye el deseo de presentarlo al lector con las más negras tintas:

II.   ... entre ellos [los escudos] estava uno más alto buena parte, y tenía el campo negro y un león assí negro, pero havía las uñas blancas y los dientes y la boca bermeja, y conoçió que aquél era de Arcalaus (pág. 364, 236-242).

Aunque este león de sable fuera linguado de gules y armado de plata, el hallarse sobre campo también de sable lo convertía en un emblema terrorífico y lúgubre, pero ineficaz para ser distinguido incluso a poca dis-

---

[103] Edición de M. Penna, en *BAE*, CXVI, pág. 137.

tancia. El de Arcalaus se parece al escudo del temible Chevalier au Dragon del *Perlesvaus*, que sorprendió a su adversario cuando «il vit l'escu a son col, qui molt estoit granz et noirs et hisdex» (Nitze, pág. 251, 5833-5834).

Otros animales aparecen en la heráldica del *Amadís*. En las armas de Salustanquidio, príncipe de Calabria:

III.   Salustanquidio con unas armas prietas y por ellas unas sierpes de oro y de plata (pág. 882, 71-74).

En las de don Garadán, primo del emperador Patín de Roma:

III.   Y el escudo havía el campo cárdeno y dos águilas de oro tan mañas como en él cabían (pág. 760, 266-268).

En el de Argomades de la Ínsula Profunda:

III.   Éste trayá armas verdes y palomas blancas sembradas por ellas (pág. 729, 982-983).

Y Gasquilán luce un grifo, animal mitológico de tanto prestigio heráldico:

IV.   ... y en medio del escudo, clavado con clavos de oro, un grifo guarnido de muchas piedras preciosas (pág. 1097, 127-130).

Muy sencillo e impecable heráldicamente es el escudo de Ladasín, hermano de don Guilán:

II. ... tenía un escudo verde y una vanda blanca en él (pág. 406, 48-49).

Señalemos, finalmente, dos escudos con figuras humanas. El de Agrajes, primo hermano de Amadís:

IV. ... Agrajes, sus armas eran de un fino rosado y en el escudo una mano de una donzella que tenía un corazón apretado con ella (pág. 1090, 446-449).

Y muy especialmente el de don Bruneo de Bonamar:

III. Y don Bruneo llevava unas armas verdes, y en el escudo havía figurada una donzella, y ante ella un cavallero armado de ondas de oro y de cárdeno, y semejava que le demandava merced (pág. 882, 45-50).

IV. Don Bruneo de Bonamar no quiso mudar las suyas [las armas], que eran una donzella figurada en el escudo y un cavallero hincado de rodillas delante, que pareçia que le demandava merced (pág. 1090, 436-441).

Me atrevería a asegurar que aquí el *Amadís de Gaula* se inspira directamente en un pasaje del *Lancelot*, cuando el protagonista, en l'Ille de Joie, se hace confeccionar un escudo, que se describe así:

Si estoit li escus plus noirs que meure, et el milieu ou la boucle devoit estre avoit painte une royne d'argent, et devant li avoit paint un chevalier qui estoit a genouls aussi comme s'il criast merchi (Sommer, V, pág. 403, 13-16).

Estos escudos del *Lancelot* y del *Amadís*, que podrían parecernos exageraciones literarias, están perfectamente documentados. En el British Museum se conserva el famoso «pavois aux amoureux», obra flamenca del siglo xv, que es un pavés partido que en la parte diestra presenta a una doncella erguida y en la siniestra a un caballero con arnés y ciñendo espada, con una rodilla en tierra, y mira a la doncella y tiene los brazos en actitud suplicante. Detrás del caballero está la Muerte descarnada y por encima una inscripción en la que se lee: «Vous ou la mort».[104] El pavés está iluminado con colores naturales, no con esmaltes heráldicos, y a pesar de ello su similitud con las armas de Lancelot y de don Bruneo de Bonamar es muy llamativa.

La heráldica del *Amadís de Gaula* sigue la línea de la imaginaria heráldica novelesca que se inició en Francia a finales del siglo xii cuando en los romans bretones en verso se adjudicaron a los caballeros artúricos escudos más o menos fijos y hasta incluso brisados cuando lazos de parentesco lo exigían, y los novelistas se complacieron en describir en la suntuosidad de los torneos los blasones de los contendientes. El primer ejemplo conocido se encuentra en la descripción del torneo en *Li chevaliers de la charrete* de Chrétien de Troyes, compuesto en 1177;[105] y le siguen a principios del siglo xiii el torneo de Blanches Mores del *Durmant le Galois*,[106] y una interpolación que ciertos manuscri-

[104] Este pavés se reproduce con frecuencia; véase en Neubecker, *Le grand livre de l'héraldique*, pág. 75.

[105] Versos 5762-5824; edición Roques, págs. 175-177.

[106] Versos 8398-8561; edición Gildea, págs. 220-224.

tos presentan en la Continuación Perceval, o Segunda Continuación de *Li contes del Graal*.[107]

Con la aparición de las extensísimas novelas caballerescas en prosa, en el tercer y cuarto decenio del XIII, como la gran compilación *Lancelot-Graal* y el *Roman de Tristan*, esta heráldica novelesca se aumenta considerablemente, pues alcanza a unos 150 ó 200 escudos, y se tiende a fijarla en los armoriales de caballeros de la Tabla Redonda que aún siguen compilándose en el siglo XV,[108] y que algunos tratadistas de heráldica aceptarán ingenuamente, y al lado de escudos auténticos de reyes y nobles no dudarán en blasonar las armas de Lancelot, Galaad, Perceval, Tristan y demás junto a las de Josué, David, Judas Macabeo y otros personajes bíblicos y clásicos.[109]

La heráldica del *Amadís de Gaula* no es muy abundante si la comparamos con la de las novelas francesas

---

[107] Edición Roach, IV, pág. 563-565.

[108] Para este punto de historia literaria véanse varios artículos de M. Prinet, como *Armoires familiales et armoires de roman au XV siècle*, «Romania», LVIII, 1932, págs. 569-575; varios trabajos de G. J. Brault, gran renovador de estos estudios, como *Arthurian heraldry and the date of Escanor*, «Bulletin bibliographique de la Société Internationale Arthurienne», XI, 1959, págs. 81-88, y sobre todo su fundamental libro *Early blazon*. Véanse también varios estudios sobre este punto de M. Pastoureau recogidos en *L'hermine et le sinople*, París, 1983, y del mismo *Armorial des chevaliers de la Table Ronde*, París, 1983. Para este aspecto en España véase M. de Riquer, *Heráldica castellana en tiempos de los Reyes Católicos*, editorial Quaderns Crema, Barcelona, 1986, págs. 31-37.

[109] Por ejemplo, en el tratado de Hierosme de Bara, *Le blason des armoires*, Lyon, 1581.

del XIII, pero sin duda introduce esta tradición literaria en España, que perdurará en los libros de caballerías, como el *Palmerín de Inglaterra*, donde son muy numerosas las descripciones de escudos. En cambio, este aspecto sólo aparece de un modo muy esporádico en las dos grandes novelas caballerescas catalanas del siglo XV, el *Curial e Güelfa* y el *Tirant lo Blanch*.

BIBLIOGRAFÍA CITADA ABREVIADAMENTE

Amadís primitivo] A. Rodríguez Moñino, A. Millares Carlo y R. La-
pesa, *El primer manuscrito del «Amadís de Gaula»*, Madrid, 1957.
Tirada aparte del «Boletín de la Real Academia Española»,
XXXVI, 1956, págs. 199-225.

Amadís de Gaula, edición y anotación por E. B. Place, cuatro tomos.
Madrid, 1959-1969, con paginación seguida en los cuatro tomos.

Bach, V. *Die Angriffswaffen in den altfranzösischen Artus- und Aben-
teuer-romanen*, «Ausgaben und Abhandlungen aus dem Gebiete der romanischen Philologie». Marburg, 1887.

biaus descouneüs, Li] Renaut de Beaujeu, *Le bel inconnu*, edición de
G. P. Williams, «Les classiques français du Moyen Age», París,
1929.

Blair, C. *European Armour, circa 1066 to circa 1700*. Londres, 1958.

Brault, G. J. *Early blazon*. Heraldic terminology in the twelfth and
thirteenth centuries with special reference to Arthurian literature, Oxfrod, 1972.

Buttin, Fr. *La lance et l'arrêt de cuirasse*, «Archaeolgia», XCIX, 1965,
págs. 77-206.

Buttin, Fr. *Du costume militaire au Moyen Age et pendant la Renaissan-
ce*, «Memorias de la Real Academia de Buenas Letras de Barcelona», tomo XII, Barcelona, 1971.

Cacho Blecua, J. M. *Amadís: heroísmo mítico cortesano*, Madrid,
1979.

Cancionero de Juan Alfonso de Baena, edición de J. Mª Azáceta, Madrid, tres tomos, 1966.

Cantar del Cid] R. Menéndez Pidal, *Cantar de Mio Cid*, texto, gramática y vocabulario, tres tomos, Madrid, 1944-1946[2].

Chrétien de Troyes] *Les romans de Chrétien de Troyes* edités d'après la copie de Guiot, «Les classiques français du Moyen Age»: I, *Erec et Enide*, edición de M. Roques, París, 1952; II, *Cligés*, edición de A. Micha, París, 1957; III, *Le chevalier de la charrete*, edición de M. Roques, París, 1958; IV, *Le chevalier au lion (Yvain)*, edición de M. Roques, París, 1960; V y VI, *Le conte du Graal (Perceval)*, edición de F. Lecoy, dos tomos, París, 1973-1974.

Cleomadés] A. Henry, *Les oeuvres d'Adenet le roi*, tomo V, *Cleomadés*, Bruselas, 1971.

Corominas, J. *Diccionario crítico etimológico de la lengua castellana*, cuatro tomos, Madrid, 1954.

Crónica del Halconero de Juan II Pedro Carrillo de Huete, edición de J. de M. Carriazo, «Colección de crónicas españolas», Madrid, 1946.

Demay, G. *Le costume au Moyen Age d'après les sceaux*, facímil de la edición de 1880, con introducción y complementeos por J.-B. de Vaivre, París, 1978.

Díez de Games, Gutierre, *El victorial*, crónica de don Pero Niño, conde de Buelna, edición de J. de M. Carrizao, «Colección de crónicas españolas», Madrid, 1940.

Durmart le Galois, edición de J. Gildea, O. S. A., Villanova-Pennsylvania, 1965.

estoire del Saint Graal, L'] Véase Sommer, tomo I.

estoire de Merlin, L'] Véase Sommer, tomo II.

Florian et Florete, edición de H. F. Williams, Ann Arbor, 1947.

Galbreath-Jéquier] D. L. Galbreath, *Manuel du blason*, nueva edición revisada por L. Jéquier, Lausana, 1977.

Giese, W. *Waffen nach der spanischen Literatur des 12 und 13 Jahrhunderts*. «Mitteilungen und Abhandlungen aus dem Gebiet der romanischen Philologie». Hamburgo, 1925.

Gran conquista de Ultramar]. Edición de L. Cooper, Bogotá, Instituto Caro y Cuervo, cuatro tomos, 1979.

Lancelot] Véase Micha y Sommer.

Leguina, E. de. *Glosario de voces de armería*, Madrid, 1912.

Libro de Alexandre, edición de J. Cañas Murillo, Madrid, 1978.

Martin, P. *Armes et armures de Charlemagne à Louis XIV*, Friburgo, 1967.

Menéndez Pidal, R.] Véase *Cantar del Cid*.

Micha, A. *Lancelot*, roman en prose du XIIIe siècle, nueve tomos «Textes littéraires français», París-Ginebra, 1978-83.

mort Artu, La] *La mort le roi Artu*, roman du XIIIe siècle, edición de J. Frappier, «Textes littéraires français», Ginebra-Lille, 1954.

mule sans frein, La] Edición de R. C. Johnston y D. D. R. Jones, *Two old french Gauvain romances*, Edimburgo-Londres, 1972.

Nebrija, E. A. de. *Vocabulario español-latino*, facsímil publicado por la Real Academia Española, Madrid, 1951.

Nebrija, E. A. de. *Diccionario latino-español*, facsímil publicado por Puvill, Barcelona, 1970.

Neubecker, O. *Le grand livre de l'héraldique*, adaptación francesa de R. Harmignies, Bruselas, 1977.

Palmerín de Inglaterra] Edición de A. Bonilla y San Martín en *Libros de caballerías*, II, «Nueva Biblioteca de Autores Españoles», Madrid, 1908.

Perlesvaus] *Le haut livre du Graal Perlesvaus*, edición de W. Nitze y T. A. Jenkins, Chicago, 1932.

Primera Crónica General, edición de R. Menéndez Pidal, «Nueva Biblioteca de Autores Españoles», Madrid, 1966.

queste del Saint Graal, La] Edición de A. Pauphilet, «Les classiques français du Moyen Age», París, 1949.

Riquer, M. de *L'arnès del cavaller, armes i armadures catalanes medievals*, Esplugues de Llobregat-Barcelona, 1968.

Riquer, M. de. *La fecha del «Ronsasvals» y del «Rollan a Saragossa» se-gún el armamento*, «Boletín de la Real Academia Española», XLIX, 1969, págs. 211-251.

Riquer, M. de. *El armamento en el «Roman de Troie» y en la «Historia troyana»*, «Boletín de la Real Academia Española», XLIX, 1959, págs. 463-494.

Roach, W. *The Continuations of the old french Perceval of Chrétien de Troyes*, tomos I a III, *The first Continuation*, Philadelphia, 1949-1955; tomo IV, *The second Continuation*, Philadelphia, 1971.

Roman de Tristan] *Le roman de Tristan en prose*, edición de R. L. Cur-tis, dos tomos publicados, München, 1963, y Leiden, 1976. *Le roman de Tristan en prose: les deux captivités de Tristan*, edición de J. Blanchard, París, 1976.

Schirling, V. *Die Verteidigungswaffen im altfranzösischen Epos*, «Aus-gaben und Abhandlungen aus dem Gebiete der romanischen Philologie». Marburg, 1887.

sergas de Esplandián, Las] Edición de P. de Gayangos en *Libros de ca-ballerías*, «Biblioteca de Autores Españoles», XL, Madrid, 1857.

Siete Partidas, Las] Edición de M. Martínez Alcubilla, *Códigos anti-guos de España*, I, Madrid, 1885.

Sommer, O. *The Vulgate version of The Arthurian Romances*, siete to-mos, Washington, 1909-1916. Los tomos III, IV y V contienen la edición de *Le livre de Lancelot del Lac*.

Stenberg, A. *Die Angriffswaffen im altfranzösischen Epos*, «Ausgaben und Abhandlungen aus dem Gebiete der romanischen Philo-logie», Marburg, 1886.

Thordeman, B. *Armour from the battle of Wisby, 1361*, dos tomos, Es-tocolmo-Uppsala, 1939-1940.

ÍNDICE DE TÉRMINOS ARMEROS

975'—